# できる日本語

初 級
本冊

## 本書をお使いになる方へ

「できる日本語」シリーズは、「自分のこと／自分の考えを伝える力」「伝え合う・語り合う日本語力」を身につけることを目的にした教科書です。日本語によるコミュニケーションの中でも「対話力」に重きをおき、人とつながる力を養います。

コミュニケーションでは、自分の持つ言語知識を使って何がどのようにできるかが大切です。この「何がどのようにできるか」を重視したので、「できる日本語」シリーズではプロフィシェンシー（Proficiency、熟達度）の考え方に基づいて各課の行動目標を設定しました。その行動目標を設定する際の参考にしたものの一つが「OPI（Oral Proficiency Interview）」の指標です。

同時に、体系的な言語知識の獲得にも配慮しました。本シリーズの「初級」である本書は日本語能力試験のN5レベルからN4レベルの前半、続く「初中級」ではN4レベル後半からN3レベル前半、「中級」ではN3レベル後半からN2レベルの日本語能力の獲得を目指すことを意味しています。学習目的によって学習者が接する場面や必要な語彙が大きく異なり、多様な選択肢の教材が考えられる上級は含んでいません。

学習時間などとの相関をまとめると次のようになります。

| レベル | OPIレベル（目安） | 学習期間 | 学習時間 |
| --- | --- | --- | --- |
| できる日本語 中級 | 中級－上 ～ 上級－下 | 6カ月 | 350時間 |
| できる日本語 初中級 | 中級－中 | 3.5カ月 | 200時間 |
| できる日本語 初級 | 初級－上 ～ 中級－下 | 2.5カ月 | 150時間 |

注＊ 学習期間は学習者の目的やクラスでめざすものによって違ってきます。

本書を使った授業では、各課の行動目標を達成するために、まず「この場面で、この状況で、どう言うのか」を学習者自身に考えてもらい、学習者と教師が「場」や「話題」を共有しながら学習を進めていきます。文型に関しては、その場面・状況で必然性のあるものを選び、行動目標に即して学べるようになっています。

この「場」や「話題」は1つの課だけで終わるのではなく、繰り返し取り上げられます。例えば、初級の1課では名前・国・趣味程度のごく簡単な自己紹介しか言えなかったのが、4課で自分の出身地について紹介することができ、8課では自分の家族や友達について語れるようになります。さらに初中級に進むと、初めて会った人に丁寧に自己紹介でき、中級になると、相手に自分のことをよく知ってもらえるような自己紹介をし、互いに語り合いながら交流できるように構成されています。このような既習項目を繰り返し使う仕掛けによって、学習者はできることの選択肢を

徐々に広げ、日本語によるコミュニケーション力を高めていけるのです。

また本書のもう一つの目標として、段落構成力を身につけることがあります。初級から〈1文→羅列文→段落〉と「固まりで話す」ことを意識しました。一般的に初級の学習では1文または2文程度のやりとりが中心になっていますが、本書では、できるだけ文と文をつなぎ、「ある程度の長さで自分のことや自分の考えを伝えることができる」ようになることを目指しています。

本シリーズを通して学習していく中で、学習者は日本語で「自分のこと／自分の考えを伝える」「他者と伝え合う・語り合う」ことの楽しさを十分に味わうことができるでしょう。

本書は、数年にわたって試用を重ね、多くの学習者や先生方の意見を吸い上げながら、6年という年月をかけて練り上げてきました。まさに「現場で生まれ、現場で育てられた、学習者と現場教師のための教科書」と言えます。その長い期間を支えてきたのは、「学習者主体／接触場面研究／〈今、ここで〉の場の共有」の考え方をとおして「人とつながる力を養成すること」に他なりません。さらに、日本語教師と、アルクと凡人社という2つの出版社のスタッフが一緒になって「これまでにない新しい初級教科書」を模索した結果であることを付け加えておきます。異なる分野の人々が大勢かかわることで、多様な視点・モノの見方を入れ込むことができました。

新しい教科書を使うには大きな勇気がいりますが、新たなチャレンジは「大いなる飛躍」を生み出します。新しい考え方で作られた「できる日本語」シリーズを使って教えることで、日本語教育がますます楽しくなること間違いなしです！　ぜひ手に取って、実践の場で使ってみてください。

教科書が変わると、教師が変わる<br>
教師が変わると、学習者が変わる

2011年3月<br>
著者一同

## 目次

本書をお使いになる方へ …… 2
本書の構成 …… 6
凡例 …… 13
登場人物 …… 14

ポイント一覧 …… 270
表 …… 282
索引 …… 290
シラバス一覧 …… 299

別冊

＊スクリプトと答え例は、付属ＣＤのＰＤＦデータに収められています。

### 第1課 ● はじめまして …… 15

簡単に自分のこと（名前・国・趣味など）を話したり相手のことを聞いたりすることができる。

Become able to describe yourself in simple terms (name, nationality, interests, etc.), and to ask others about themselves.

会简单地介绍自己，向对方询问一些基本情况（姓名、国籍、兴趣等）。

자신의 개인 정보(이름, 국적, 취미 등)를 간단히 말하거나 상대방의 개인 정보를 물을 수 있다.

### 第2課 ● 買い物・食事 …… 31

お店の人や友達と簡単なやりとりをして、買い物をしたり料理の注文をしたりすることができる。

Become able to do shopping and order food through simple communication with shop/restaurant staff and friends.

能和店员或朋友进行简单的会话，会买东西、点餐。

매장 점원이나 친구와 간단한 대화를 통해서 물건을 사거나 요리를 주문할 수 있다.

### 第3課 ● スケジュール …… 47

これからの生活や周りの人との関係づくりのために、予定を聞いたり身近なことを話したりすることができる。

Become able to ask about schedules and talk about everyday topics, so as to get by in your daily life and build relations with others.

为了今后的生活和同周围的人相处，会询问计划和谈自己日常的一些事情。

앞으로의 생활이나 주변 사람들과의 관계 형성을 위해서 예정을 묻거나 신변 이야기를 할 수 있다.

### 第4課 ● 私の国・町 …… 67

簡単に自分の出身地について友達や周りの人に紹介することができる。

Become able to tell friends and people around you about your country and hometown in simple terms.

能向朋友及周围的人简单介绍自己的家乡。

자신의 출신지에 대해서 친구나 주변 사람에게 간단히 소개할 수 있다.

### 第5課 ● 休みの日 …… 83

休みの日の出来事や予定について友達や周りの人と簡単に話すことができる。

Become able to talk about events/plans for days off with friends and people around you in simple terms.

能和朋友及周围的人简单地谈论节假日发生的事情、或节假日的计划。

쉬는 날에 있었던 일이나 예정에 대해서 친구나 주변 사람과 간단히 말할 수 있다.

## 第6課 ● 一緒に！ ……101

友達を誘ったり、行きたいところやしたいことを一緒に相談したりして、約束することができる。

Become able to invite friends somewhere and make dates with them, including discussing places to go and things you want to do.

会邀请并和朋友约定一起去某处或一起做某事。

친구에게 무언가를 제안하거나 가고 싶은 곳 또는 하고 싶은 일을 함께 상의해서 약속할 수 있다.

## 第7課 ● 友達の家で ……117

周りの状況を簡単に友達に伝えることができる。また、何かを頼んだり提案したりしながら一緒に行動することができる。

Become able to simply communicate situations to friends. Also, become able to make requests and suggestions when doing something with friends.

会告诉朋友周围的状况。会拜托别人做某事或提议一起做某事。

주변 상황을 간단히 친구에게 전할 수 있다. 또한, 무언가를 부탁하거나 제안하면서 함께 행동할 수 있다.

## 第8課 ● 大切な人 ……137

簡単に自分の家族や友達について友達や周りの人に紹介することができる。

Become able to tell friends and people around you about your family and friends in simple terms.

会向朋友或周围的人简单介绍自己的家人或朋友。

자신의 가족이나 친구에 대해서 친구나 주변 사람에게 간단히 소개할 수 있다.

## 第9課 ● 好きなこと ……153

サークルや交流イベントに参加したとき、自分の好みや趣味を話したり相手に質問したりすることができる。

Become able to talk about your likes and interests when participating in a club or international exchange activity, and to ask others about theirs.

参加聚会、交流活动时，会谈论自己或询问对方的兴趣爱好。

서클이나 교류 이벤트에 참가했을 때, 자신의 취향이나 취미를 말하거나 상대방에게 질문할 수 있다.

## 第10課 ● バスツアー ……169

大勢の人と行動するために、状況に応じて簡単な質問をすることができる。また、指示を理解して行動することができる。

Become able to ask simple questions regarding a particular situation when doing something with a big group. Also, become able to act based on proper understanding of instructions.

和很多人一起行动的时候，会根据情况简单地提问。理解指示的内容并行动。

여러 사람과 행동하기 위해서 상황에 따른 간단한 질문을 할 수 있다. 또한, 지시를 이해하고 행동할 수 있다.

## 第11課 ● 私の生活 ……185

自分の生活や身近な話題について友達や周りの人と話すことができる。

Become able to discuss your lifestyle and everyday topics with friends and people around you.

会和朋友、周围的人谈论自己的生活和较熟悉的话题。

자신의 생활이나 신변 화제에 대해서 친구나 주변 사람과 말할 수 있다.

## 第12課 ● 病気・けが ……205

体調について友達や周りの人と簡単に話すことができる。また、病院で簡単なやりとりをすることができる。

Become able to simply tell friends and people around you about your physical condition. Also, become able to discuss simple matters at a hospital.

会和朋友、周围的人谈论自己的身体情况。在医院能进行简单的对话。

몸 상태에 대해서 친구나 주변 사람과 간단히 말할 수 있다. 또한, 병원에서 간단한 대화를 할 수 있다.

## 第13課 ● 私のおすすめ ……221

生活を楽しく便利にするために、身近な役立つ情報やおすすめ情報をやりとりすることができる。

Become able to share helpful or recommended information for adding fun and convenience to daily living.

会和朋友交换一些对日常生活有用的信息，使生活更方便。

생활을 즐겁고 편리하게 하기 위해서 신변의 도움이 되는 정보나 추천 정보를 주고받을 수 있다.

## 第14課 ● 国の習慣 ……237

異なる文化の中で楽しく生活するために、習慣・文化・ルールを知り、自分の意見を簡単に言うことができる。

Become able to learn about customs, culture, and rules that need to be known to live comfortably in a different culture, and become able to simply state your opinions.

为了在不同文化下愉快地生活，能了解其习惯、文化、基本规则，会简单地叙述自己的意见。

다른 문화 속에서 즐겁게 생활하기 위해서 습관・문화・규칙을 알고, 자신의 의견을 간단히 말할 수 있다.

## 第15課 ● テレビ・雑誌から ……253

ニュースや身近な情報を友達や周りの人に簡単に伝えることができる。また、その情報をもとに一緒に行動することができる。

Become able to simply communicate news and everyday information to friends and people around you. Also, become able to do things with others based on that information.

会将新闻报道或身边的一些事情简单地说给朋友、周围的人听。根据获得的信息安排和朋友的活动。

뉴스나 일상적인 정보를 친구나 주변 사람에게 간단히 전할 수 있다. 또한, 그 정보를 바탕으로 함께 행동할 수 있다.

# 本書の構成

本書の構成は以下の通りです。

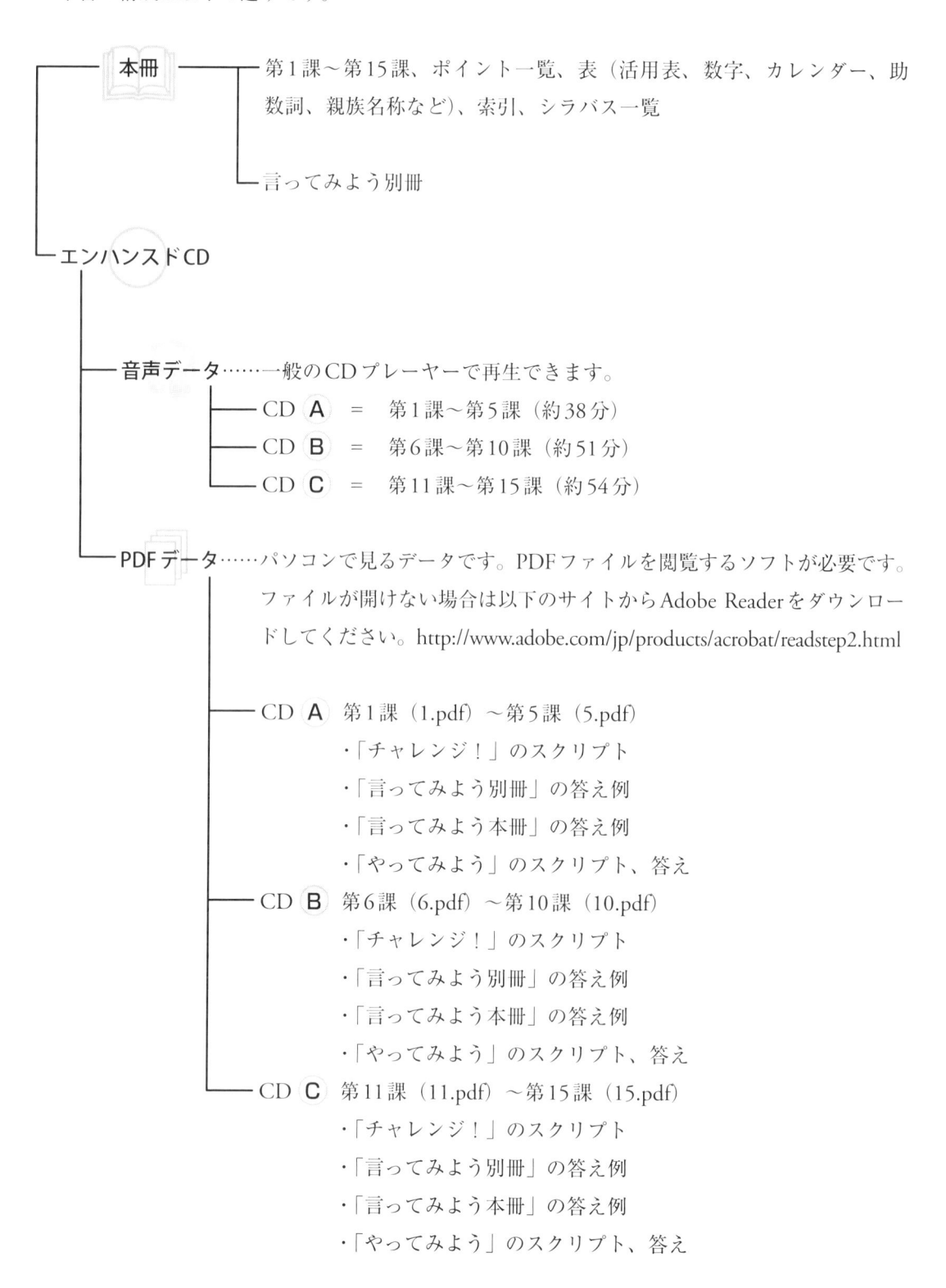

- 本冊
  - 第1課〜第15課、ポイント一覧、表（活用表、数字、カレンダー、助数詞、親族名称など）、索引、シラバス一覧
  - 言ってみよう別冊
- エンハンスドCD
  - 音声データ……一般のCDプレーヤーで再生できます。
    - CD Ⓐ ＝ 第1課〜第5課（約38分）
    - CD Ⓑ ＝ 第6課〜第10課（約51分）
    - CD Ⓒ ＝ 第11課〜第15課（約54分）
  - PDFデータ……パソコンで見るデータです。PDFファイルを閲覧するソフトが必要です。ファイルが開けない場合は以下のサイトからAdobe Readerをダウンロードしてください。http://www.adobe.com/jp/products/acrobat/readstep2.html
    - CD Ⓐ 第1課（1.pdf）〜第5課（5.pdf）
      - ・「チャレンジ！」のスクリプト
      - ・「言ってみよう別冊」の答え例
      - ・「言ってみよう本冊」の答え例
      - ・「やってみよう」のスクリプト、答え
    - CD Ⓑ 第6課（6.pdf）〜第10課（10.pdf）
      - ・「チャレンジ！」のスクリプト
      - ・「言ってみよう別冊」の答え例
      - ・「言ってみよう本冊」の答え例
      - ・「やってみよう」のスクリプト、答え
    - CD Ⓒ 第11課（11.pdf）〜第15課（15.pdf）
      - ・「チャレンジ！」のスクリプト
      - ・「言ってみよう別冊」の答え例
      - ・「言ってみよう本冊」の答え例
      - ・「やってみよう」のスクリプト、答え

## ●PDFデータの使い方

このCDには一般のCDプレーヤーで再生できるオーディオデータ（音声）の他に、パソコン対応のエキストラデータ（PDF）が収録されています。

まず、付属のCDをパソコンのCD/DVD-ROMドライブに挿入します。

### ［Windowsの場合］

自動的にプログラムが起動します。Windows Vista以降の場合は、「自動再生」ウィンドウが開くことがあります。その場合は、「start.exeの実行」をクリックして、プログラムを起動してください。自動的にプログラムが起動しない場合は、ディスクの挿入後、「マイコンピュータ」を開いて『できる日本語』アイコンを、右クリックし「開く」を選択してください。開いたフォルダの中の『start.exe』をダブルクリックしてください。

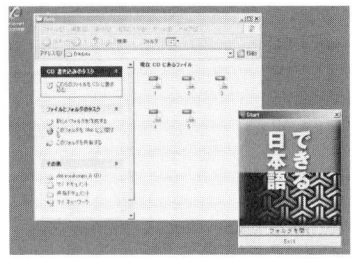

起動したプログラム中の「フォルダを開く」ボタンをクリックすると、フォルダが開きます。その中の、PDFファイルをダブルクリックすると、PDFビューアが起動し、ご覧いただくことができます。

### ［Macintoshの場合］

デスクトップに『できる日本語』アイコンが表示され、フォルダが開きます。その中のPDFファイルをダブルクリックすると、PDFビューアが起動し、ご覧いただくことができます。

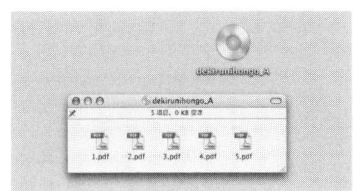

### 音声について

- ●弊社制作の音声CDは、CDプレーヤーでの再生を保証する規格品です。
- ●パソコンでご使用になる場合、CD-ROMドライブとの相性により、ディスクを再生できない場合がございます。ご了承ください。
- ●パソコンでタイトル・トラック情報を表示させたい場合は、iTunesをご利用ください。iTunesでは、弊社がCDのタイトル・トラック情報を登録しているGracenote社のCDDB（データベース）からインターネットを介してトラック情報を取得することができます。
- ●CDとして正常に音声が再生できるディスクからパソコンやmp3プレーヤー等への取り込み時にトラブルが生じた際は、まず、そのアプリケーション（ソフト）、プレーヤーの製作元へご相談ください。

### PDFデータについて

このエンハンスドCDは以下のような環境のWindows、Macintoshで使用することができます。

**【Windows推奨環境】**
- ■Pentium4 800MHz以上のCPUを搭載したIBM社製パソコンおよびその互換機
- ■日本語版Windows98、2000、ME、XP（XP64には非対応）、Vista日本語版 & PDFビューア（Adobe Reader、Adobe Acrobat Readerなど）
- ■推奨メモリー 512MB以上
- ■800×600ドット以上、16bit High Color以上表示可能なディスプレイ（24bit TrueColor推奨）
- ■マルチセッション対応、16倍速以上のCD-ROMドライブ
- ■OSに対応したPCMサウンドボード

**【Macintosh推奨環境】**
- ■PowerPC G3以上を搭載したMacintosh
- ■Mac OS 9.1～9.2 & PDFビューア（Adobe Reader、Adobe Acrobat Readerなど）/Mac OS X 10.1～10.5
- ■搭載メモリー Mac OS 9の場合は最大未使用ブロック64MB以上/Mac OS Xの場合は512MB以上
- ■800×600ドット以上、32,000色以上表示可能なディスプレイ（1270万色推奨）
- ■マルチセッション対応、16倍速以上のCD-ROMドライブ（Apple社純正推奨）

推奨動作環境を満たすパソコンであっても、ハードウェアの機種、構成などによりデータを読み込まない場合がありますので、あらかじめご了承ください。またPDFデータ閲覧にはPDFファイルを閲覧するソフトが必要です。ファイルが開けない場合は以下のサイトからAdobe Readerをダウンロードしてください。→http://www.adobe.com/jp/products/acrobat/readstep2.html

### 登録商標

Windows®は米国Microsoft Corporationの米国またはその他の国における登録商標です。Apple®、Appleロゴおよび Mac OS®、iTunesはアップルコンピュータ株式会社の登録商標です。Adobe® Reader®はアドビシステムズ社の登録商標です。

# 各課の構成と授業の流れ

『できる日本語 初級 本冊』は1課から15課まであり、各課1つのトピックからなっています。そのトピックに関連する3つの「スモールトピック」から各課は構成されています。

図示すると下記のようになります。

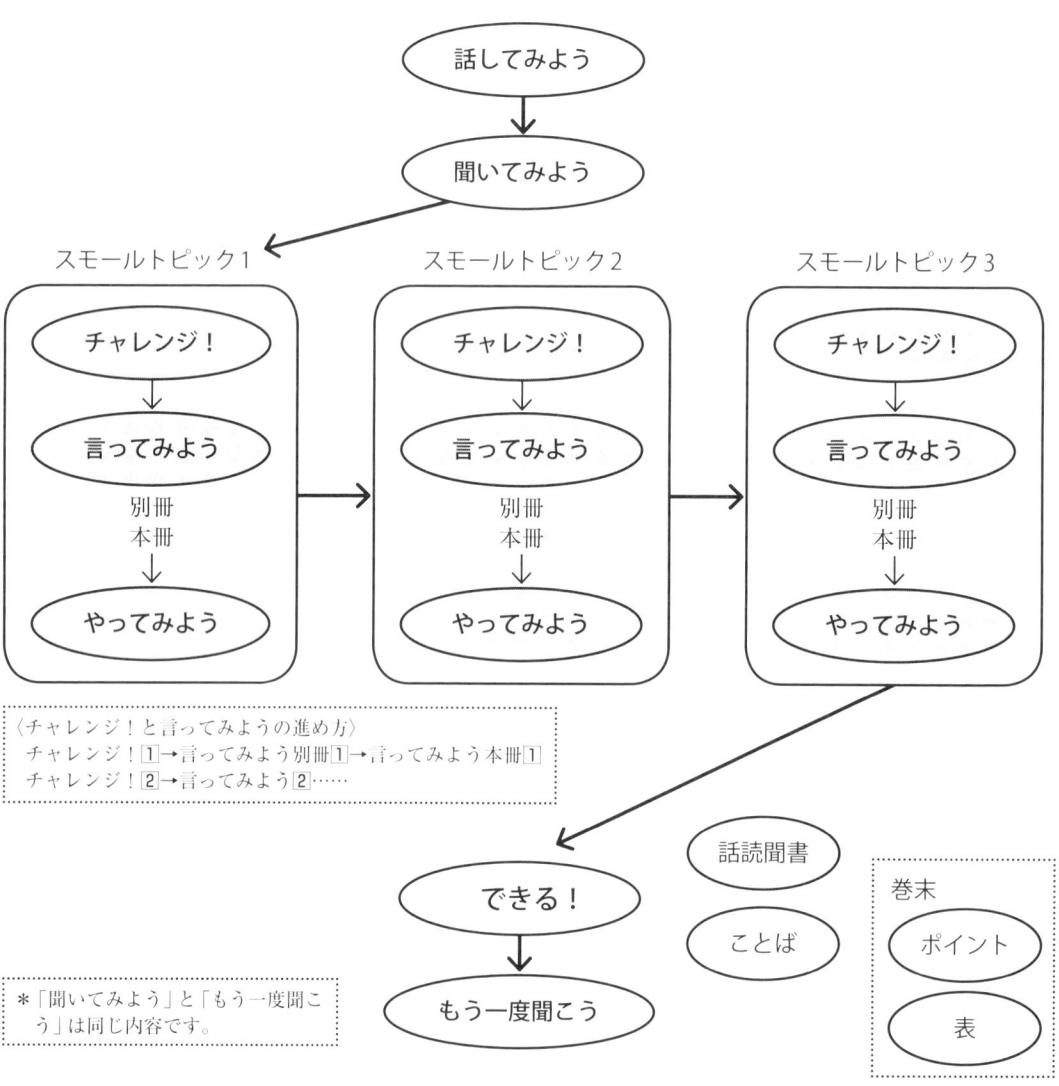

授業の流れに沿って、各項目を説明していきます。

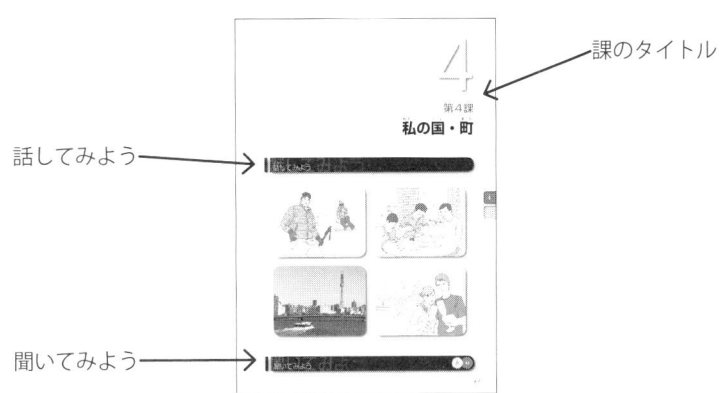

## ●話してみよう

　課のテーマについてのイメージ作りをします。3枚のイラストと1枚の写真を見ながら、学習者がこれまでに学んだ日本語、自分の知っている日本語を使ってたくさん話せるように教師は学生に発話を促します。

## ●聞いてみよう

　実際の場面でどのような会話が行われているのか、この課で学習する内容が含まれている会話を1つの例として、まず聞いてみます。「聞いてみよう」と「もう一度聞こう」は同じ内容です。「もう一度聞こう」は各課の最後にあります。ここでは学習者にとって未習のことが多いですが、既習のことばや文型をヒントに会話の内容を大まかにつかみます。全部わかる必要はありません。聞いたあとで、教師は学習者にどこで行われている会話か、どんな人たちが話しているかなどの問いかけをしてください。そうやってイメージをふくらませてから、スモールトピックに入ります。

9

## ●チャレンジ！

「状況イラスト」は会話が行われている状況を表したイラストです。「コマイラスト」はその状況のもとで行われる会話を表したイラストです。

まず、学習者は「状況イラスト」を見て、いつどこで誰が何をしているのかを考えます。状況を表す説明文が書かれていますが、教室では学習者とやり取りをしながら、どんな状況かを学習者が把握できるようにしてください。場面・状況の説明は日本語、英語、中国語、韓国語で示されています。次に、「コマイラスト」を見ながら、学習者はこんなとき日本語で何と言うかを考えて、自分の知っている日本語で話すことにチャレンジします。こんなときどう言ったらいいかを考えることで、話す動機を高めることにつながります。教師は既習の文型や語彙を使って話すよう学習者に発話を促します。その後で、CDを聞いて、そのとき何と言うのかを確認します。「チャレンジ！」①が終わったら、「言ってみよう別冊」の①、「言ってみよう本冊」①、そして、「チャレンジ！」②……と続いていきます。

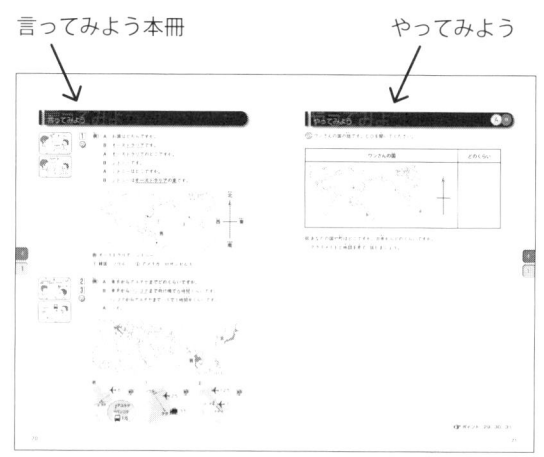

## ●言ってみよう

「言ってみよう」は本冊と別冊に分かれています。

別冊は本冊の「言ってみよう」に入る前に、単文レベルで練習します。番号（例：①）は、「チャレンジ！」の番号と対応しています。キューは、学習者に合わせて考えたり増やしたりしてください。

本冊では学習者が実際に遭遇するであろう場面・状況の会話を練習します。適宜、「チャレンジ！」で学習した「コマイラスト」を使って、教師と学習者が同じ場面や状況を共有しながら学習を進めてください。番号（例：①）は、「チャレンジ！」の番号に対応しています。

本冊には2つのマークがあります。💬があるところでは会話の一部を学習者が自由に考えて話します。☺があるところでは、会話例全体を使って学習者自身のことで会話を再現します。

## ●やってみよう

スモールトピックの「できること」を達成するタスクです。

タスクをする前に、CDを聞きます。これは学習者が話す際のヒントになることをねらいとしています。聞いたあとで答えをチェックすることがいちばんの目的ではなく、教師は会話の中に出てきた表現や会話の展開のし方などに学習者の注意を向けてください。その上でタスクに取り組みます。

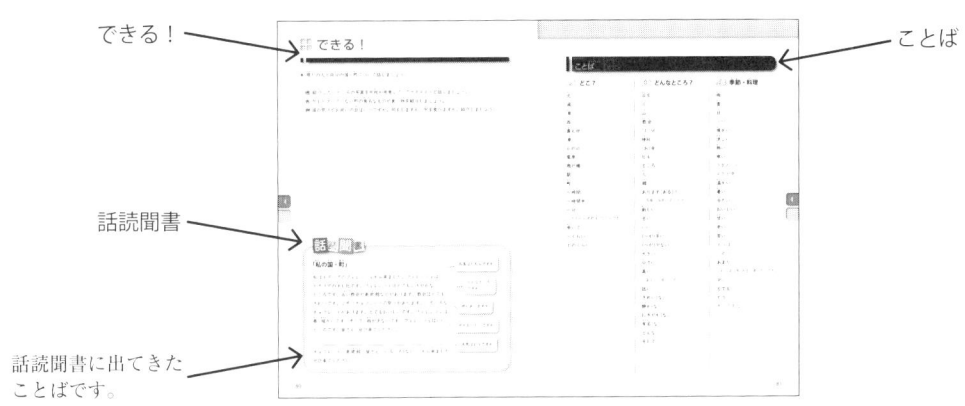

## ●できる！

3つのスモールトピックの学習が終わってから、各課の行動目標（目次、シラバス一覧参照）に即した総合的な活動を行います。例えば、ビジターセッション、パーティー、旅行、フリーマーケットなどのイベントを企画・実行する活動があります（実施が難しいときには、「教室でできる！」を参考にしてください）。また、国のガイドブック、オリジナル新聞、アンケートなどを作って自分や自分の周りのことを紹介したりする活動もあります。

## ●ことば

スモールトピックごとに新出語彙を名詞、動詞、形容詞、副詞、接続詞、表現の順に提示してあります。本冊、別冊両方の語彙が含まれています。「できる！」を行う際には、このページを参考にすることができます。また、ここにあることば以外にも学習者が使いたいことばがあったら書き加え、ことばをどんどん増やしていきましょう。

太字になっている語は、旧日本語能力試験の3、4級の出題基準で扱われていた語彙と3、4級語彙以外でもこの段階で覚えることが望ましいと思われる語です。

動詞にはグループを示す数字（1〜3）が明記されています。また、多義語には例文が、複合語には例が載せてあります。

## ●話読聞書

人と楽しく話すために、自分のことや自分の経験を日本語でどうやって話すかを考え、固まりで話す練習をします。学習者は「話読聞書」を通して、各課1つずつ自分の中に「楽しい1日」や「私の国・町」、「私のおすすめ」などの〈ストーリー〉を蓄積していくことができます。「話読聞書」にある吹き出しのような質問を受けたときに自分の〈ストーリー〉から取り出して答えたり、長く話したりすることができます。また、聞いている人にわかりやすく伝えるためには、話の流れも大切です。「話読聞書」では話の流れも意識して話すことを目指しています。話の流れは本書にある文章を参考にすることができます。話したことから「クラスの○○集」を作ったり、ミニスピーチをしたりといった活動にも広げることができます。

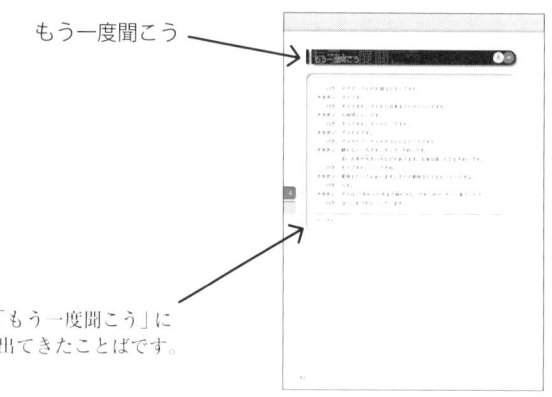

もう一度聞こう

「もう一度聞こう」に
出てきたことばです。

## ●もう一度聞こう

最初に「聞いてみよう」で聞いた内容を、もう一度聞きます。課の学習に入る前にはよく聞き取れなかった内容を、学習終了時には聞き取れるようになり、話すことができるようになります。最後に「聞いてみよう」をもう一度聞くことで、達成感を味わうことができます。スクリプトを利用して、文法やことばを確認することもできます。

# 凡例

| | |
|---|---|
| Ⓐ❶ | CDとトラック番号を表しています。 |
| ①、②… | 学習項目の番号です。「チャレンジ！」と「言ってみよう別冊」、「言ってみよう本冊」の番号は対応しています。状況や会話の展開が複数ある場合には、①-1、①-2のように示されています。なお、番号部分はCDでは読まれません。 |
| ＡＢ… | 「言ってみよう」の話者を表します。店員や医者など役割がはっきりしている人物には役名が入っています。 |
| 例①②… | 「言ってみよう」のキューの番号です。 |
| ☺ | 「言ってみよう」のキューを使って練習した後で、その会話例全体を使って、学習者自身のことで会話を再現するところです。 |
| 💬 | 本冊の「言ってみよう」の会話の一部を学習者が考えて答えるところです。下線部分を学習者が考えて答えるよう促してください。 |
| ⤷ | 「言ってみよう」で同じ質問から答えが2つに分かれて会話が続きます。 |
| ▭ | 「言ってみよう」で学習する項目です。 |
| ＿＿＿ | 「言ってみよう」のキューを代入する部分です。ただし、1つの＿＿＿に1つのキューが必ず用意されているわけではありません。例えば、A、B共通のキューがイラスト上で示されていたり(第4課スモールトピック1「言ってみよう」①)、前の人の発話を受けてキューがなくても明らかに＿＿＿に入れることばがわかるとき(第2課スモールトピック3「言ってみよう」① ②)はそれぞれにキューは示されていません。 |
| ・ | 1文に複数のキューを代入することを示しています。 |
| ／ | キューを代入する箇所が2文に分かれていることを示しています。 |
| コーヒー(3つ)、(2時間) | ( )内の語を使って時間や数を答えることを示しています。 |
| 練習1、2… | 同じ学習項目で練習パターンが複数あることを示しています。「言ってみよう別冊」で使われています。 |
| ( ) | 学習者自身のことや学習者自身が考えて答えるところです。学習者に自分のことで文を作成するよう促してください。「言ってみよう別冊」で使われています。 |
| ▢ | 複数のキューの中から選択して答えてください。「言ってみよう別冊」で使われています。 |

第 1 課

# はじめまして

## 話してみよう

## 聞いてみよう

# 1 私の名前・国・仕事

## チャレンジ！

学校で初めて会った人に自己紹介をしています。
You are introducing yourself to new acquaintances at school.
在学校向初次见面的人做自我介绍。
학교에서 처음 만난 사람에게 자기소개를 하고 있습니다.

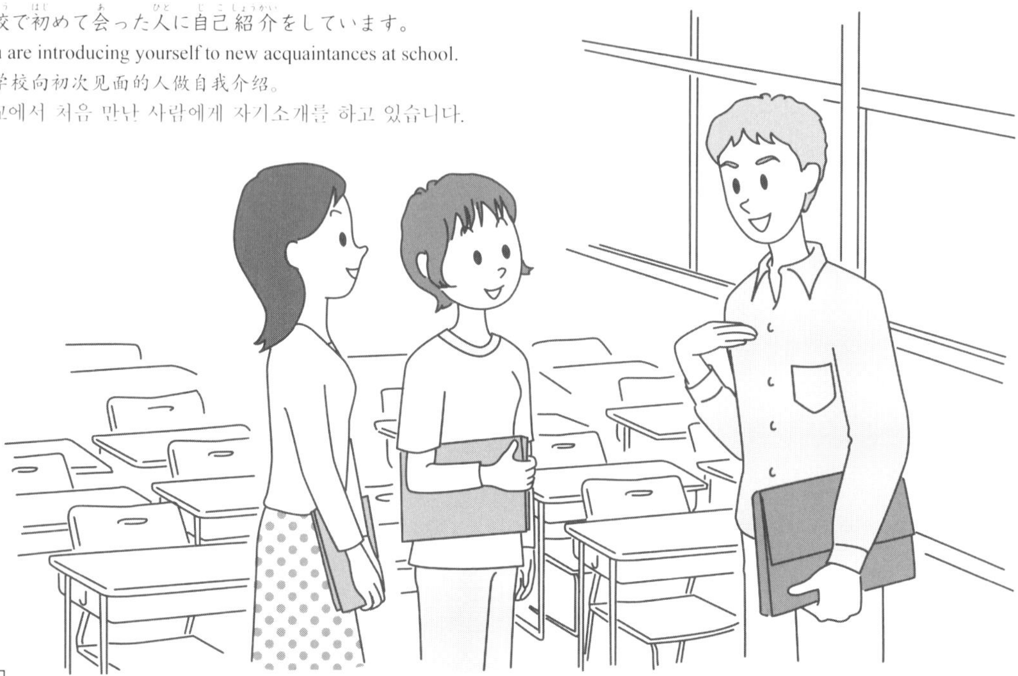

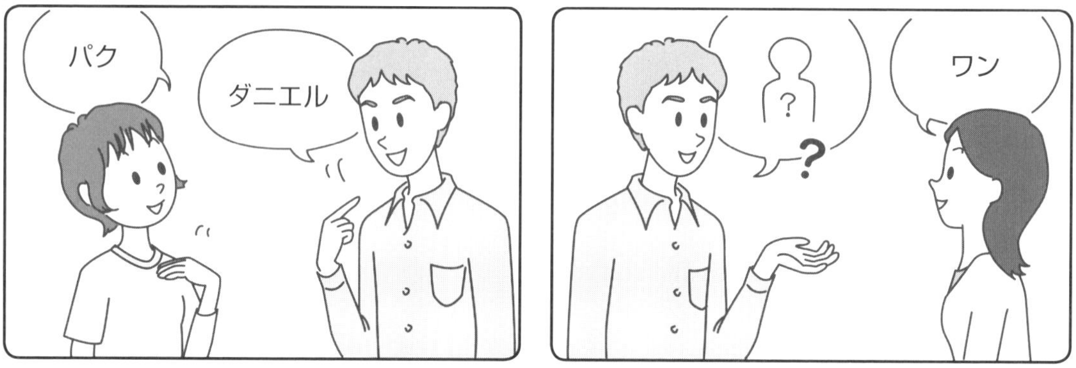

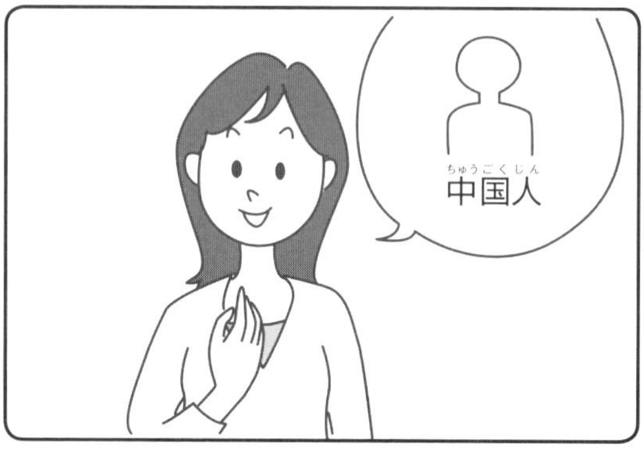

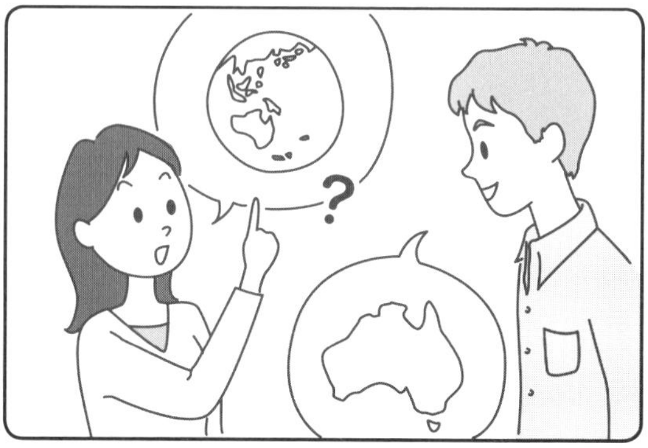

自分の名前、国、仕事を言ったり相手に聞いたりすることができる。
You can tell others your name, country, and job, and can ask others about theirs.
会介绍自己的，或询问对方姓名、国籍、工作。
자신의 이름, 국적, 직업을 말하거나 상대방에게 물을 수 있다.

寮で最近知り合った人と話しています。
You are talking with people you recently met at the dormitory.
在宿舍和最近认识的人说话。
기숙사에서 최근에 알게 된 사람과 말하고 있습니다.

☞ ポイント 1、2、3、4

# 言ってみよう

① A：はじめまして。私はパクです。
　　よろしくお願いします。

　B：はじめまして。(私は)ワンです。
　　こちらこそよろしくお願いします。

　B：はじめまして。
　　こちらこそよろしくお願いします。
　A：あのう、すみません。お名前は？
　B：ワンです。よろしくお願いします。

② はじめまして。ダニエルです。
　オーストラリア人です。よろしくお願いします。

③ A：はじめまして。パクです。よろしくお願いします。
　B：パクさん、お国はどちらですか。
　A：韓国です。
　B：そうですか。

④ 例) A：Bさん、お仕事は？
　　　B：私は会社員です。
　　　A：そうですか。

例

①

②

⑤ 😊
A：Bさんは学生ですか。

B：はい、(私は)学生です。

B：いいえ、(私は)学生じゃありません。会社員です。

⑥ 😊
例) A：Bさんは会社員ですか。
　　B：いいえ、会社員じゃありません。学生です。
　　　ふじみ大学の学生です。

例)
A：会社員　　B：学生／　　　　　・学生

ふじみ大学

① A：学生　　B：会社員／　　　　・社員

ＡＢＥ

② A：会社員　B：教師／　　　　　・教師

さくら高校

# やってみよう

○ CDを聞いてください。書いてください。

|   | 名前 | 国 | 仕事 |
|---|------|----|----|
| 1 | パク |    |    |
|   | メアリー |  |    |
| 2 | ワン |    |    |
|   | 木村 |    |    |

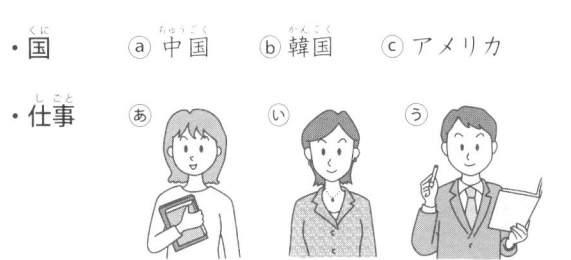

・国　　ⓐ 中国　ⓑ 韓国　ⓒ アメリカ
・仕事　あ　　い　　う

■ クラスメイトに国と仕事を聞きましょう。そして、名前を覚えましょう。

☞ ポイント 1、2、3、4

# 2 私の誕生日

## チャレンジ！

A 09-10

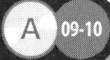

寮の歓迎パーティーで自己紹介をしています。
You are introducing yourself at a welcome party at your dormitory.
在宿舍举行的欢迎会上作自我介绍。
기숙사의 환영 파티에서 자기소개를 하고 있습니다.

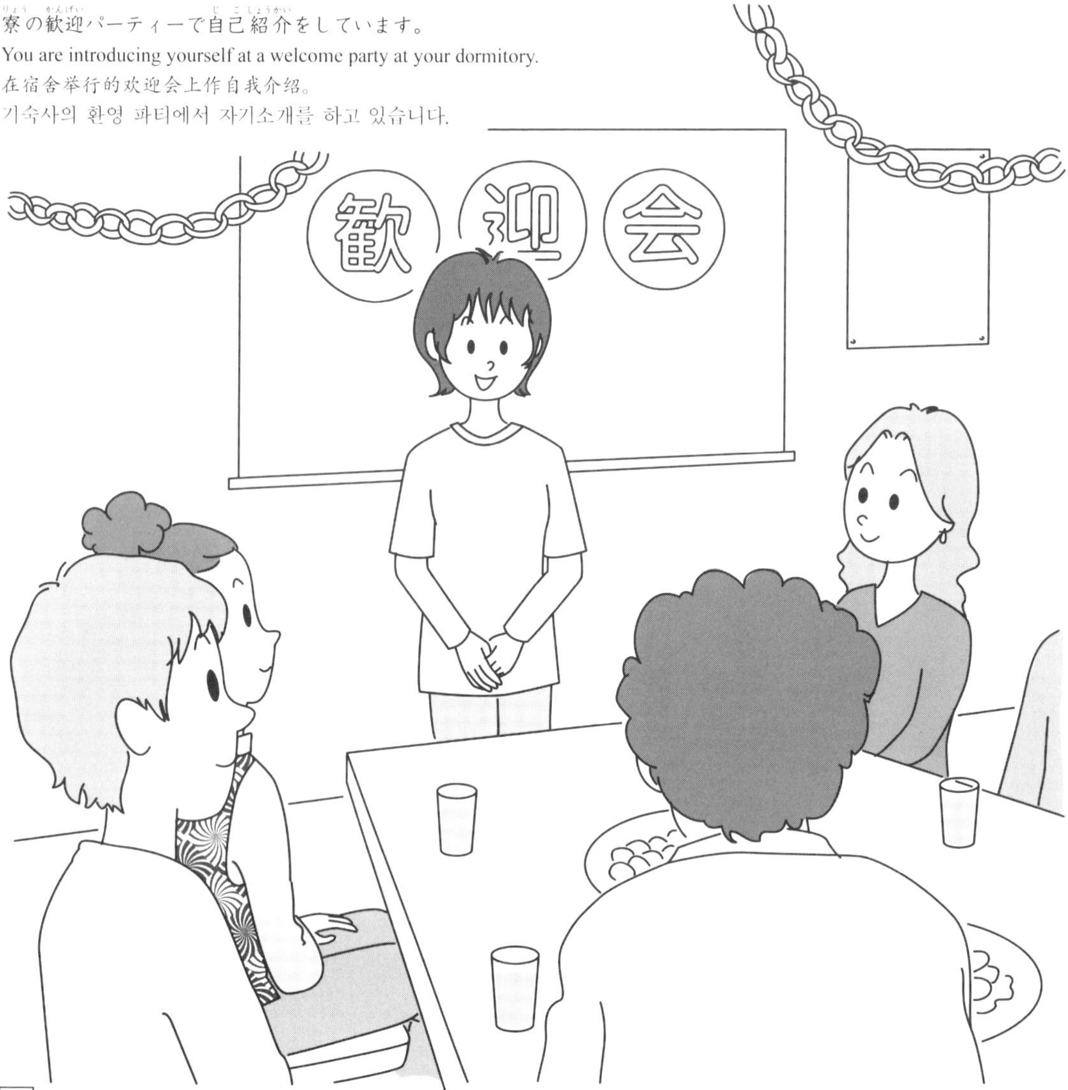


1

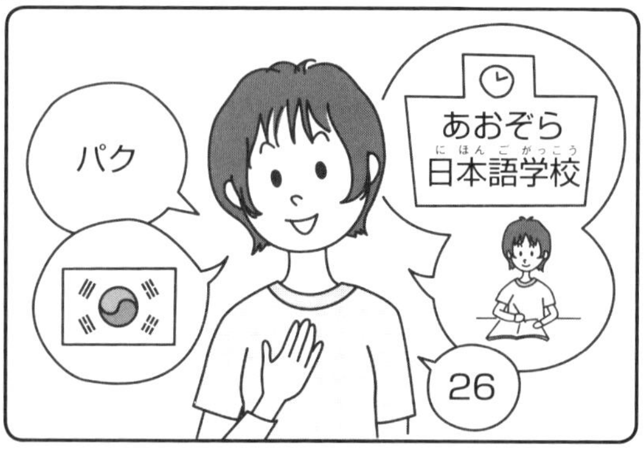

年齢を言うことができる。誕生日を言ったり聞いたりすることができる。
You can say your age. You can give your birthday and ask others about theirs.
会说自己的年龄、生日。会询问对方生日。
나이를 말할 수 있다. 생일을 묻고 말할 수 있다.

寮の歓迎パーティーで寮の人と話しています。
You are talking with dormitory residents at the party.
在宿舍举行的欢迎会上和宿舍的人说话。
기숙사의 환영 파티에서 기숙사 사람과 말하고 있습니다.

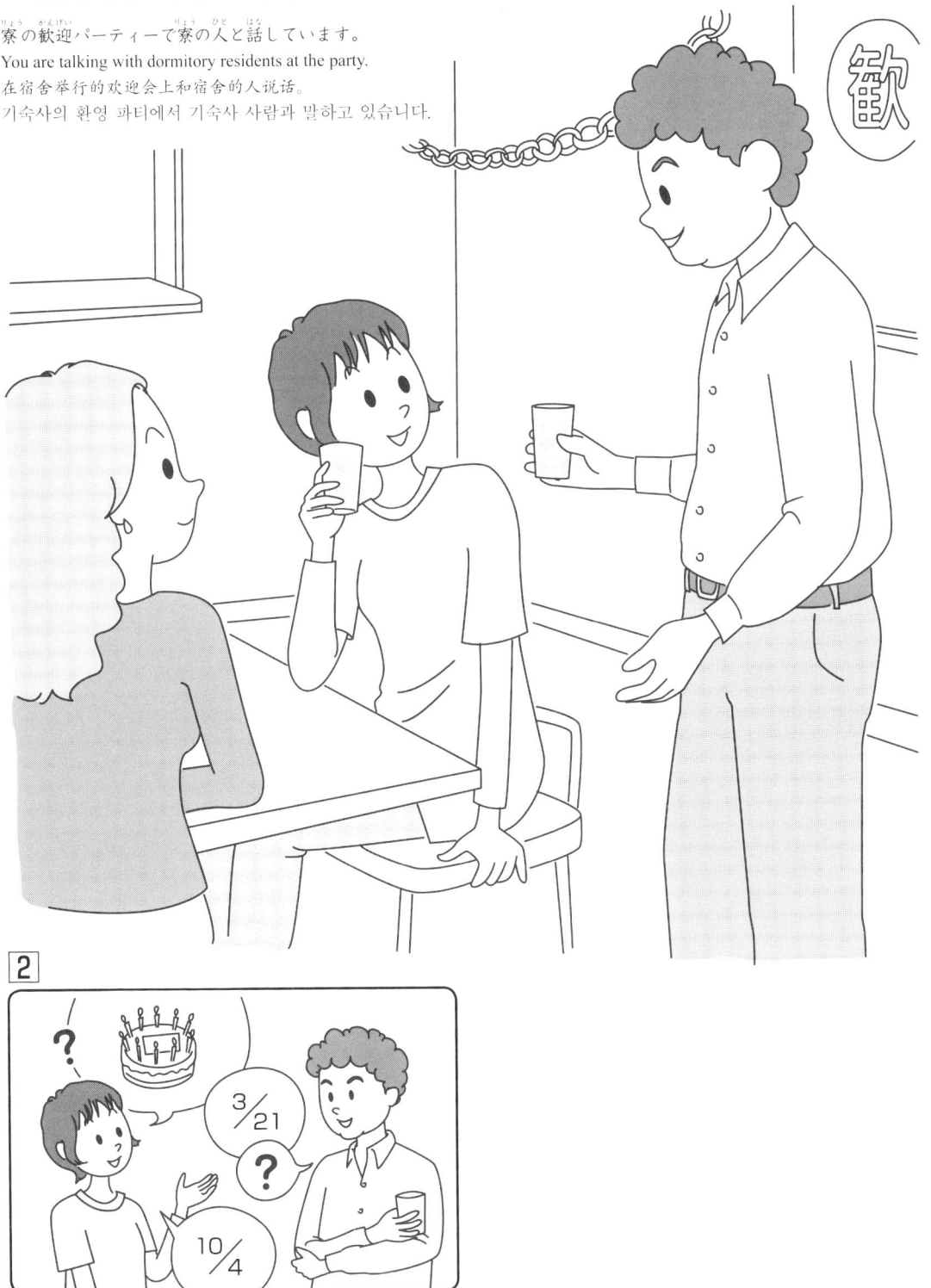

☞ ポイント 1、3

21

## 言ってみよう

1. はじめまして。私はパクです。韓国人です。
あおぞら日本語学校の学生です。26歳です。
よろしくお願いします。

2. 例) A：Bさんの誕生日はいつですか。
　　 B：10月4日です。
　　 A：そうですか。

例 10/4

① 5/28　② 7/14　③ 4/20　④ 9/10

# やってみよう

◎ CDを聞いてください。＿＿＿に書いてください。

**1 カルロス**
国 ＿＿＿＿＿
仕事 ＿＿＿＿＿
＿＿＿＿＿歳

**2 ワン**
国 ＿＿＿＿＿
仕事 ＿＿＿＿＿
＿＿＿＿＿歳

**3 木村**
国 ＿＿＿＿＿
仕事 ＿＿＿＿＿

- 国　　ⓐ 中国　　ⓑ 日本　　ⓒ ブラジル
- 仕事　ⓐ 学生　　ⓘ 会社員　ⓤ 教師

■ クラスメイトの前で自己紹介しましょう。

◎ CDを聞いてください。誕生日はいつですか。

| 1 | マリヤム<br>（　）月（　）日 | 2 | アンナ<br>（　）月（　）日 | 3 | ダニエル<br>（　）月（　）日 | 4 | ナタポン<br>（　）月（　）日 |
|---|---|---|---|---|---|---|---|

■ クラスメイトや先生に誕生日を聞きましょう。

| おひつじ座 | 3/21～4/19生まれ | てんびん座 | 9/23～10/23生まれ |
|---|---|---|---|
| おうし座 | 4/20～5/20生まれ | さそり座 | 10/24～11/21生まれ |
| ふたご座 | 5/21～6/21生まれ | いて座 | 11/22～12/21生まれ |
| かに座 | 6/22～7/22生まれ | やぎ座 | 12/22～1/19生まれ |
| しし座 | 7/23～8/22生まれ | みずがめ座 | 1/20～2/18生まれ |
| おとめ座 | 8/23～9/22生まれ | うお座 | 2/19～3/20生まれ |

☞ ポイント　1、3

# 3 私の趣味

## チャレンジ！  A 13-15

教室でクラスメイトと話しています。
You are talking with classmates in the classroom.
在教室和同学说话。
교실에서 반 친구와 말하고 있습니다.

趣味(しゅみ)を言ったり聞いたりすることができる。
You can state your hobbies/interests and ask others about theirs.
会说自己的，或询问对方的兴趣。
취미를 묻고 말할 수 있다.

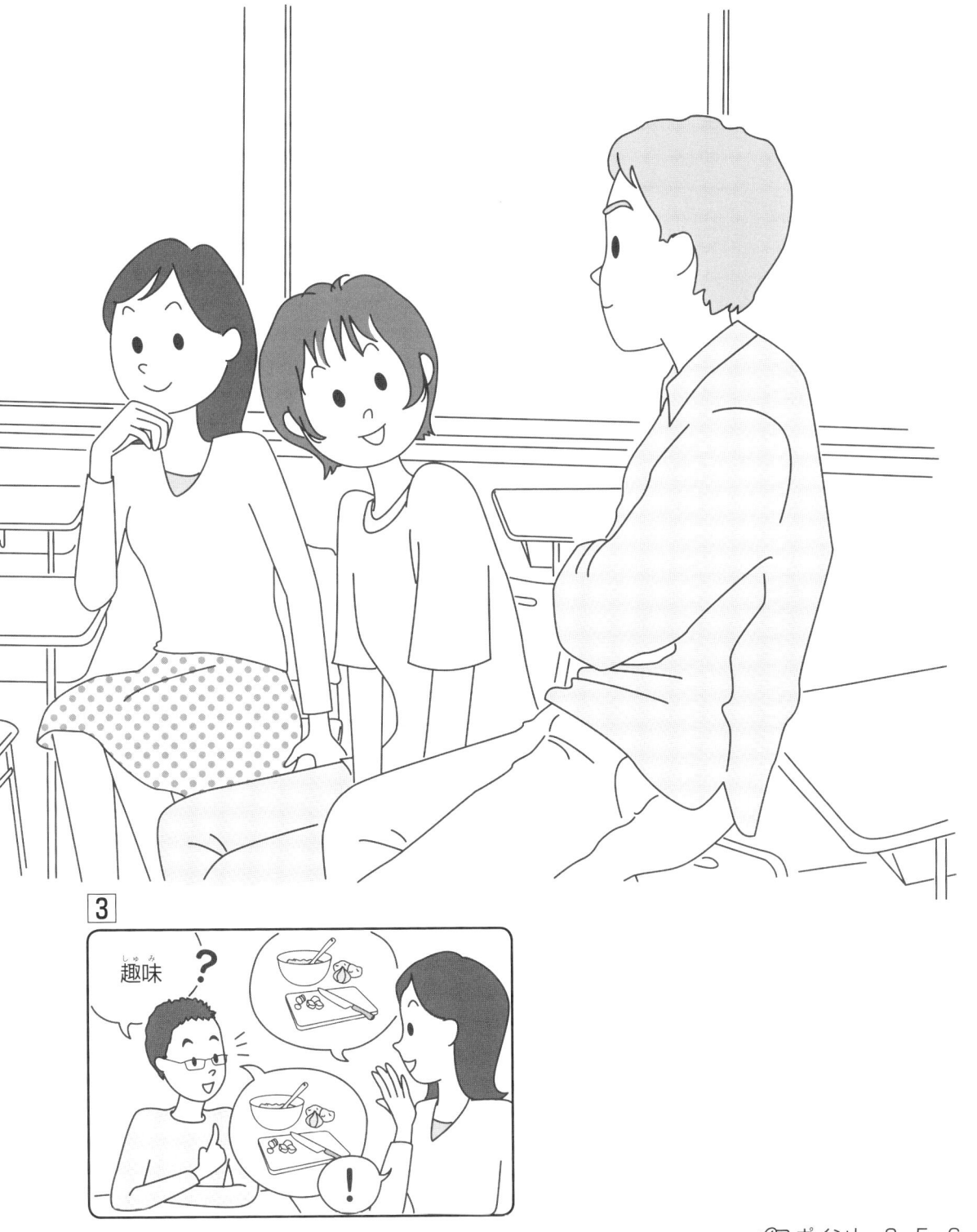

☞ ポイント 3、5、6

# 言ってみよう

1  2  ☺

A：Bさんの趣味は何ですか。

例1）B：サッカーです。
　　　A：そうですか。

例2）B：読書と映画です。
　　　A：そうですか。

3 例）A：Bさんの趣味は何ですか。
　　　B：（私の趣味は）テニスです。
　　　A：あ、私の趣味もテニスです。

## やってみよう

A 16

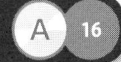

CDを聞いてください。趣味は何ですか。

1

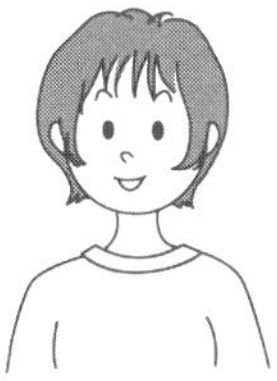

パク ＿＿＿

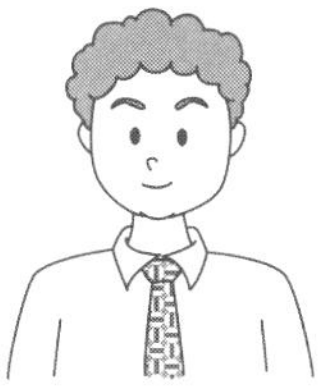

カルロス ＿＿＿

2

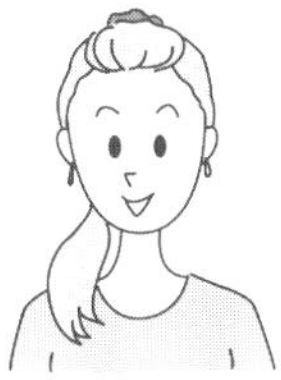

アンナ ＿＿＿

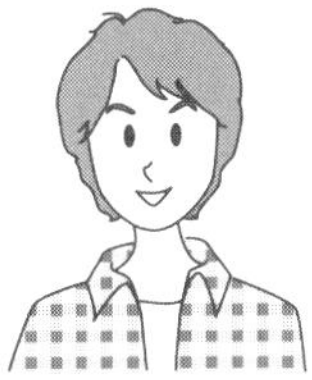

マルコ ＿＿＿

ⓐ

ⓑ

ⓒ

ⓓ

ⓔ

ⓕ

ⓖ

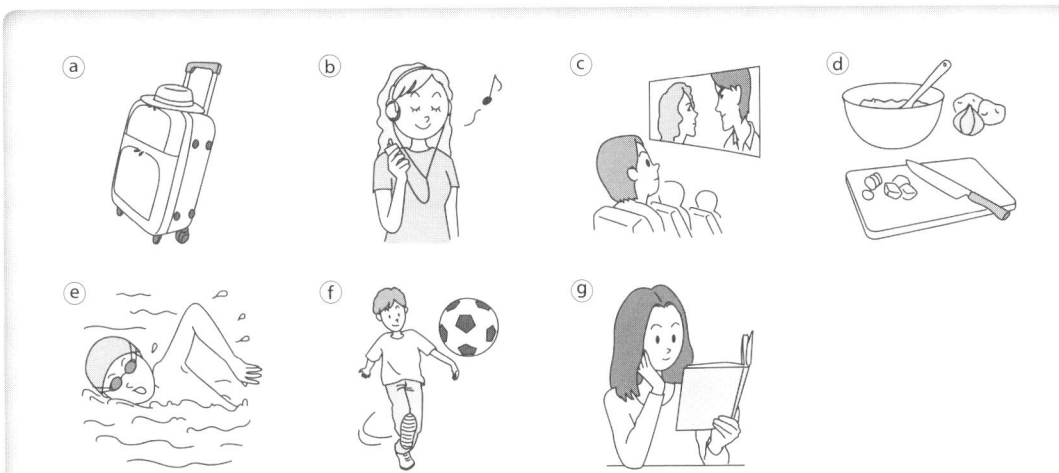

■ クラスメイトや先生に趣味を聞きましょう。同じ趣味の人はいますか。

☞ポイント　3、5、6

# できる！

- いろいろな人に国、仕事、趣味などを聞いて、友達になりましょう。
どんな人に聞きましたか。
その人を他の人に紹介してください。

## 話 読 聞 書

### 「自己紹介」

はじめまして。私はパクです。韓国人です。あおぞら日本語学校の学生です。26歳です。趣味は旅行と映画です。どうぞよろしくお願いします。

お名前は？

ニックネームは何ですか

趣味は何ですか

## ことば

### 1 私の名前・国・仕事

私
(お)名前
(お)国
日本
アメリカ
イタリア
オーストラリア
韓国
タイ
中国
ロシア
高校
大学
日本語学校
(お)仕事
学生
先生
教師
会社員
社員
〜さん
〜人(例：日本人)
どちら
  お国はどちらですか。
はじめまして
(どうぞ)よろしくお願いします
こちらこそ
あのう
すみません
  あのう、すみません。
そうですか
はい
いいえ

### 2 私の誕生日

誕生日
ブラジル
〜月
〜日
〜歳
いつ

### 3 私の趣味

趣味
スポーツ
サッカー
テニス
水泳
映画
音楽
読書
旅行
料理
  私の趣味は料理です。
何
あ(っ)

## もう一度聞こう

パク：こんにちは。
カルロス：あ、こんにちは。
パク：はじめまして、私はパクです。韓国人です。どうぞよろしくお願いします。
カルロス：こちらこそ、どうぞよろしくお願いします。私はカルロスです。
パク：カルロスさん、お国はどちらですか。
カルロス：ブラジルです。
パク：そうですか。カルロスさんは学生ですか。
カルロス：いいえ、学生じゃありません。会社員です。パクさんは学生ですか。
パク：はい。あおぞら日本語学校の学生です。
カルロス：そうですか。パクさんの趣味は何ですか。
パク：私の趣味は旅行と映画です。
カルロス：あっ、私の趣味も映画です。
パク：わあ、同じですね。

---

わあ　同じですね

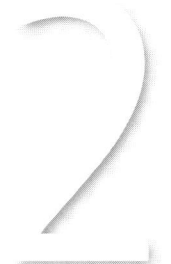

# 第2課
# 買い物・食事

## 話してみよう

## 聞いてみよう

# 1 どこですか

## チャレンジ！

ショッピングビルの案内所や売り場で店員などに場所を聞いています。
You are asking for locations at the information counter and departments of a shopping center.
在商场的问讯处或柜台向店员询问商品的位置。
쇼핑몰의 안내소나 매장에서 점원 등에게 장소를 묻고 있습니다.

ニコニコショッピングビル

自分が買いたい物がどこにあるか聞くことができる。
You can ask the location of things you want to buy.
会问自己想买的东西在哪里。
자기가 사고 싶은 물건이 어디 있는지 물을 수 있다.

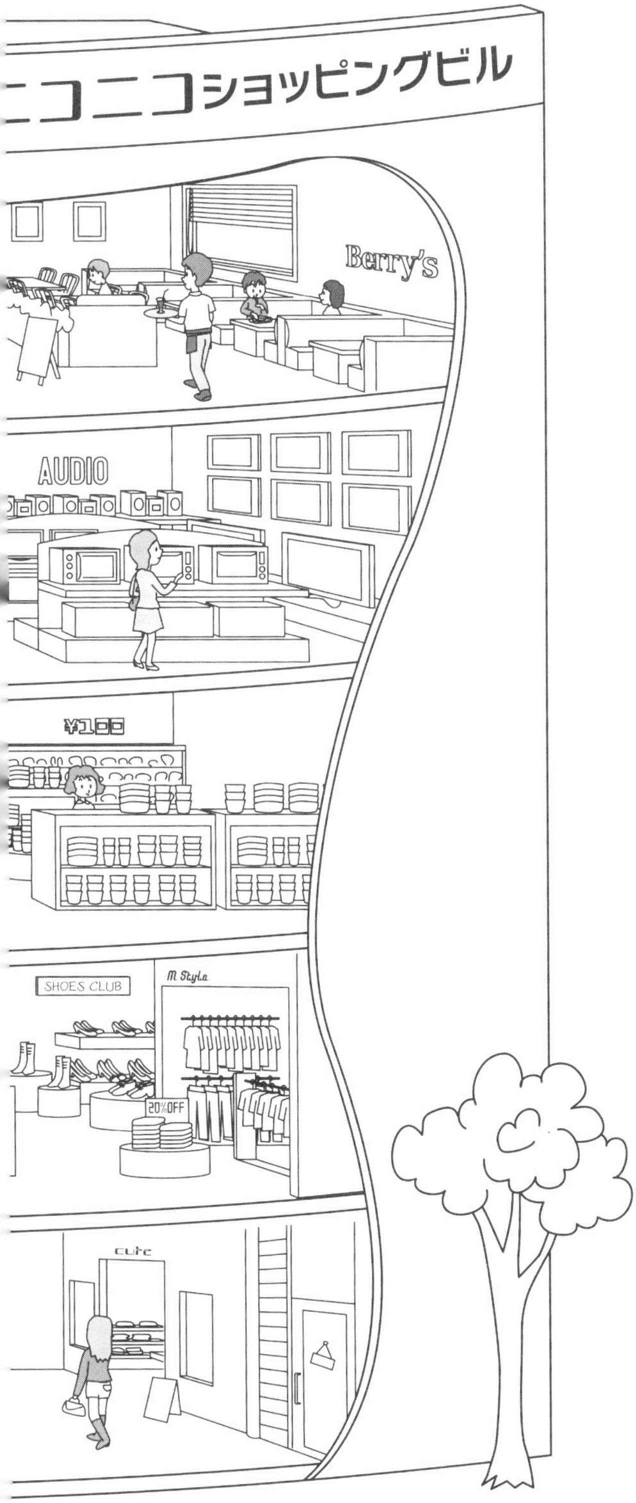

# 言ってみよう

1 例) A：すみません、100円ショップは何階ですか。
　　　店員：3階です。
　　　A：そうですか。ありがとうございます。

例) 100円ショップ
① スーパー
② 靴屋
③ ケーキ屋
④ サカイ電器

2-1

例) A：あのう、すみません。エスカレーターはどこですか。
　　B：エスカレーターですか。エスカレーターはあそこですよ。
　　A：どうもありがとうございます。

例 エスカレーター
① トイレ　② ATM　③ インフォメーション　④ 喫茶店

2-2

例) 店員：いらっしゃいませ。
　　　A：すみません、携帯電話はどこですか。
　　店員：携帯電話はこちらです。
　　　A：あ、ありがとうございます。

例 携帯電話　　① カメラ　　② パソコン　　③ 電子辞書

## やってみよう　　A 21

○ CDを聞いてください。電子辞書は何階のどこにありますか。

■ ロールプレイをしましょう。

A　あなたは客です。ショッピングビルの受付で店がどこにあるか、聞きましょう。
　　それから、店へ行って、商品がどこにあるか、店員に聞きましょう。
B　あなたはショッピングビルの受付の人です。
C　あなたは店の店員です。

☞ ポイント　9

# 2 いくらですか

## チャレンジ！

A 22-24

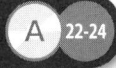

店(みせ)で値段(ねだん)を聞(き)いています。
You are asking prices at a store.
在店内询问价钱。
매장에서 가격을 묻고 있습니다.

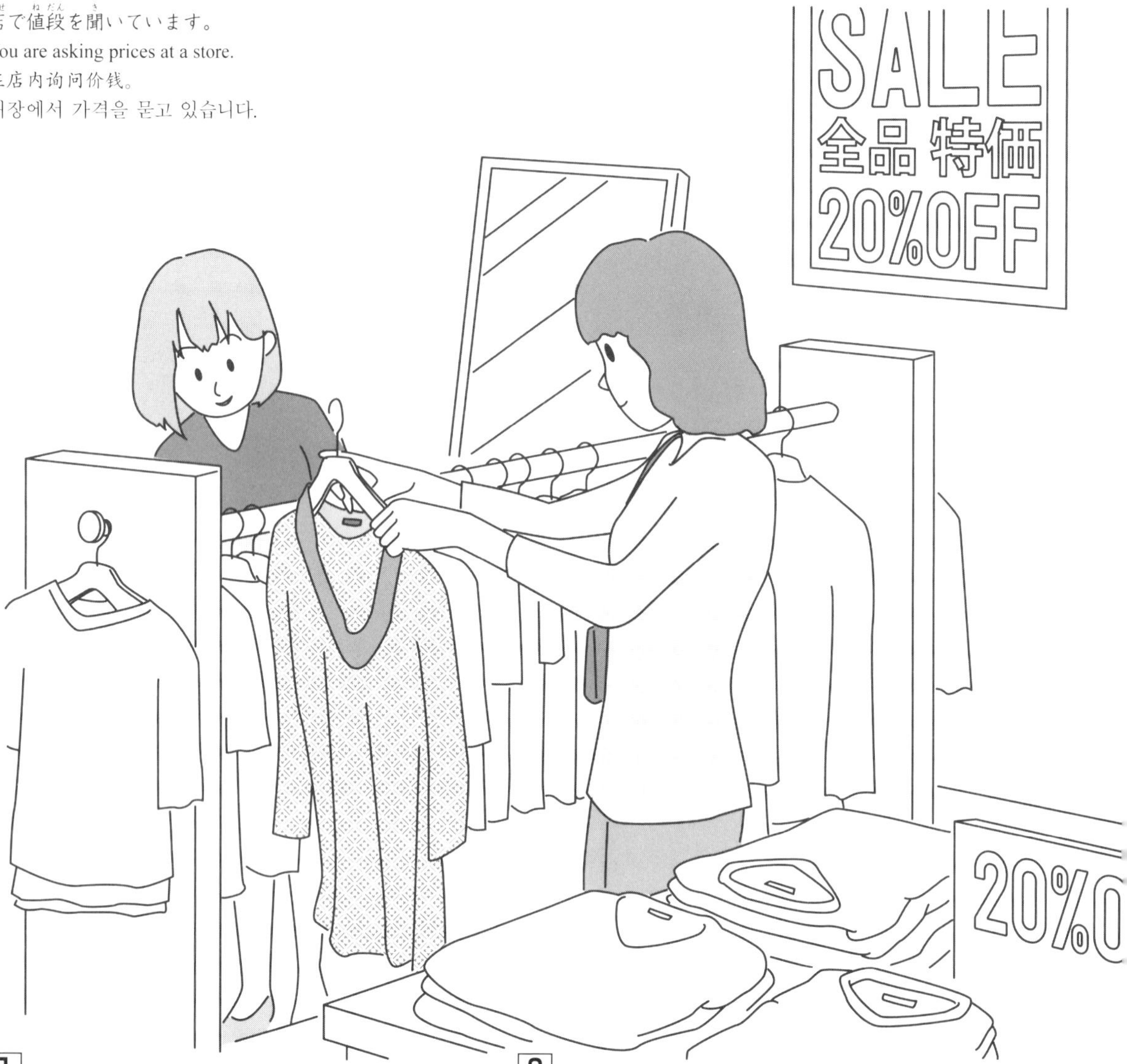


1

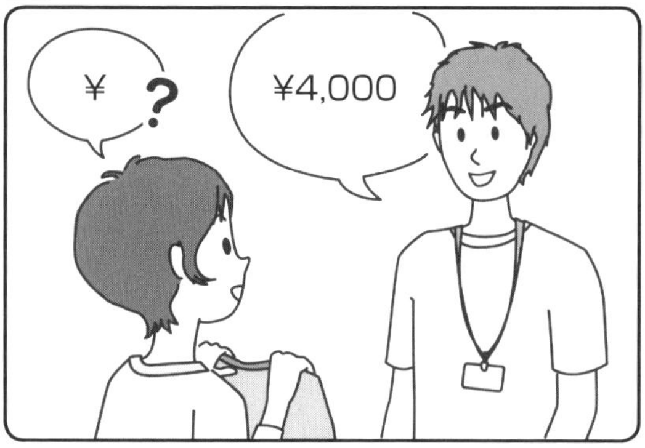


2

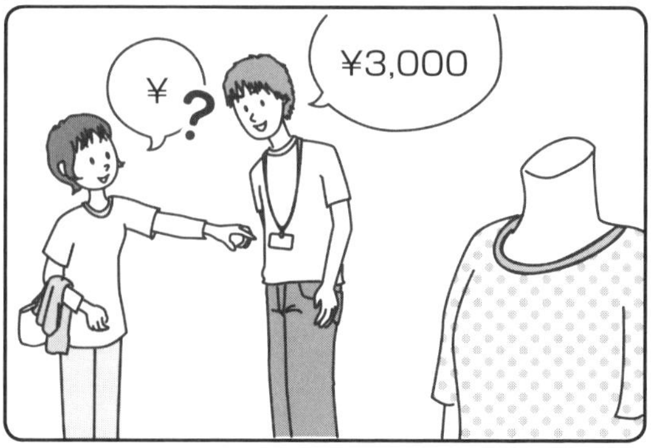

自分が買いたい物の値段を聞くことができる。
You can ask the price of things you want to buy.
会问自己想买的东西的价钱。
자기가 사고 싶은 물건의 가격을 물을 수 있다.

3

☞ ポイント 7、8、10、11

## 言ってみよう

1 例) A：あのう、これはいくらですか。
　　店員：3,000円です。💬
　　A：そうですか。

2 例) 店員：いらっしゃいませ。
　　A：すみません。このTシャツはいくらですか。
　　店員：2,000円です。💬

3 例) A：すみません。このTシャツはいくらですか。
　　店員：3,000円です。💬
　　A：そうですか。そのTシャツはいくらですか。
　　店員：2,000円です。💬
　　A：じゃ、それをください。💬

## やってみよう

◎ CDを聞いてください。いくらですか。どれを買いますか。

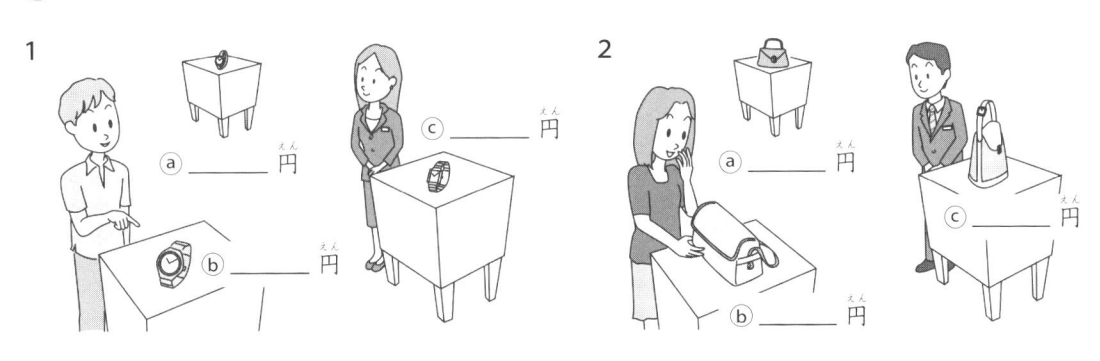

1
ⓐ _____ 円
ⓑ _____ 円
ⓒ _____ 円

2
ⓐ _____ 円
ⓑ _____ 円
ⓒ _____ 円

■ 絵を見て2人で話しましょう。

☞ ポイント 7、8、10、11

# 3 レストラン

## チャレンジ！　A 26-30

レストランで注文をしています。
You are ordering food at a restaurant.
在餐馆点餐。
레스토랑에서 주문하고 있습니다.

**1**
とんかつ？ — 料理（ぶた）

**2**
ぶたにく？ English＝？ — pork

**3**
（ビール？）— U.S.A.

**4**
とんかつ　2つ
カレー　1つ
ビール　3つ

レストランで注文することができる。また、忘れ物の持ち主が誰か聞くことができる。
You can order food at a restaurant. You can ask who owns belongings left behind.
会在餐馆里点餐。会问东西的失主是谁。
레스토랑에서 주문할 수 있다. 또한, 분실물 주인이 누구인지 물을 수 있다.

食事が終わってお金を払っています。
You are paying the restaurant bill.
吃完饭结账。
식사가 끝나고 계산을 하고 있습니다.

5

ポイント 10、12、13、14、15

# 言ってみよう

1  例) A：すみません、これは何の料理ですか。
2     店員：それは豚肉の料理です。
      A：ぶたにく？「ぶたにく」は英語で何ですか。
      店員：「pork」です。
      A：そうですか。

例) 豚肉
① 鶏肉
② 牛肉
③ 野菜
④ リンゴ
⑤ イチゴ

3  例) A：これはどこのビールですか。
      店員：アメリカのビールです。

Drinks

例 Aビール ･･･ 750円
① Bビール ･･･ 800円
② ワイン ･･････ 900円
③ 紅茶 ･･･････ 500円

例 アメリカ
① ドイツ
② イタリア
③ インド

4 例) A:すみません、注文をお願いします。
　　　店員:はい、どうぞ。
　　　A:カレーを1つください。
　　　店員:はい。

例 カレー(1)　① コーヒー(3)
　　　　　　　② ケーキ(2)、紅茶(2)
　　　　　　　③ ハンバーグ(2)、ライス(1)、パン(1)
　　　　　　　④ とんかつ(3)、ビール(2)、ジュース(1)

5 例) A:あ、カメラ！　これは誰のカメラですか。

B:あ、それは私のカメラです。
ありがとうございます。

B:あ、それはCさんのカメラです。Cさん、カメラ！
C:あ、すみません。

例 カメラ　① 携帯電話　② かばん　③ 財布　④ 時計

## やってみよう　A 31

◎ CDを聞いてください。何をいくつ注文しましたか。

| カレー | | 親子丼 | | ジュース | | ビール | |
|---|---|---|---|---|---|---|---|
| とんかつ | | ライス | | コーヒー | | | |
| ハンバーグ | 2 | パン | | ワイン | | | |

■ ロールプレイをしましょう。

A あなたは客です。レストランへ行って、注文してください。
B あなたはレストランの店員です。お客さんの注文を聞いてください。

☞ポイント　10、12、13、14、15

# できる！

- スーパーへ行って、買い物をしましょう。
  それから、お店でご飯を食べましょう。

### 教室でできる！

- フリーマーケットをしましょう。
  1 お店役の人は売る物の値段を決めましょう。（日本でいくらですか。）
  2 お客役の人は売っている場所を聞きましょう。
  3 お客役の人は品物の値段を聞きましょう。

## 話読聞書

### 「好きな店」

ここはクプクプです。パン屋です。これはクプクプのパンです。
1つ200円です。おいしいです。

―――――――――――――――――――

おいしい

> 店の名前は何ですか
>
> 何がありますか
>
> いくらですか

# ことば

## 1 どこですか

ここ／こちら
そこ／そちら
あそこ／あちら
インフォメーション
ＡＴＭ
エスカレーター
エレベーター
喫煙所
トイレ
レジ
喫茶店
スーパー
100円ショップ
レストラン
地下
カメラ
携帯電話
電子辞書
パソコン
靴
消しゴム
ペン
トイレットペーパー
本
油
ケーキ
米
卵
パン
水
店員
～階

～屋(例：本屋)
どこ
いらっしゃいませ
(どうも)ありがとうございます

## 2 いくらですか

これ
それ
あれ
この
その
あの
かばん
ズボン
Tシャツ
時計
～円
いくら
じゃ

## 3 レストラン

魚
肉
牛肉
鶏肉
豚肉
野菜
イチゴ
リンゴ
料理
　これは魚の料理です。
カレー

スープ
とんかつ
ハンバーグ
ご飯
　ご飯を2つください。
ライス
ジュース
コーヒー
紅茶
(お)茶
ビール
ワイン
インド
ドイツ
フランス
財布
英語
～語(例：日本語)
～つ
誰
注文をお願いします
どうぞ

## もう一度聞こう

### インフォメーションで

パク：すみません。サカイ電器は何階ですか。
店員：4階です。
パク：そうですか。ありがとうございます。

### 4階で

店員：いらっしゃいませ。
パク：あのう、すみません。
　　　携帯電話はどこですか。
店員：携帯電話はあちらです。
パク：ありがとうございます。
　　　………
パク：すみません。
　　　これはいくらですか。
店員：29,800円です。
パク：そうですか。
　　　その携帯電話はいくらですか。
店員：12,000円です。
パク：そうですか。
　　　じゃ、それをください。

### レストラン

店員：いらっしゃいませ。こちらへどうぞ。
　　　………
店員：どうぞ、メニューです。
パク：はい。どうも。
　　　………
パク：すみません。注文をお願いします。
店員：はい。
パク：これは何のカレーですか。
店員：豚肉のカレーです。
パク：ぶたにく？
　　　「ぶたにく」は英語で何ですか。
店員：「pork」です。
パク：そうですか。
マルコ：このビールはどこのビールですか。
店員：ドイツのビールです。
マルコ：そうですか。じゃ、カレーを2つと
　　　　ビールを2つください。
店員：カレーを2つとビールを2つですね。
　　　少々お待ちください。

---

こちらへどうぞ　メニュー　少々お待ちください

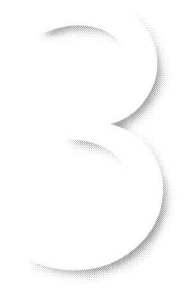

# 第3課

# スケジュール

## 話してみよう

## 聞いてみよう

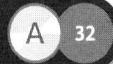

A 32

# 1 何時まで ですか

## チャレンジ！  A 33-35

寮で図書館に電話しています。
You are calling the library from the dormitory.
在宿舍给图书馆打电话。
기숙사에서 도서관에 전화하고 있습니다.

1

2

公共施設に開館時間や休館日などを問い合わせることができる。
You can ask public facilities about their opening times, closed days, etc.
会向一些公共设施询问开馆时间、闭馆日。
공공시설에 개관 시간이나 휴관일 등을 문의할 수 있다.

開館時間
9時～5時
休館日
月曜日

3

休み？ 日月火水木金土

☞ ポイント 21

# 言ってみよう

1. A：すみません。今、何時ですか。
   B：10時です。
   A：ありがとうございます。

2. / 3. 例）A：はい、さくら図書館です。
   B：すみません。そちらは何時から何時までですか。
   A：9時から7時までです。
   B：そうですか。休みはいつですか。
   A：月曜日です。
   B：月曜日ですか。ありがとうございます。

例）さくら図書館
9:00〜7:00
休み：月曜日

① さくら病院
9:30〜15:00
休み：水曜日

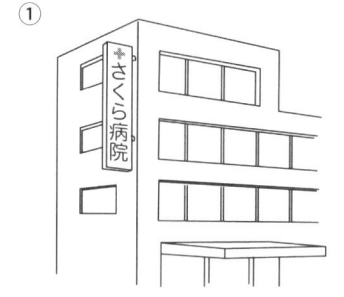

② わかば体育館
午前8:30〜午後9:00
休み：木曜日

③ みどり郵便局
9:00〜5:00
休み：土・日

## やってみよう

◎ CDを聞いてください。書いてください。

|   |   | 時間 | 休みの日 |
|---|---|---|---|
| 1 | さくら図書館 | 〜 |   |
| 2 | たいよう銀行 | 〜 |   |
| 3 | さくら郵便局 | 〜 |   |

■ あなたの町の図書館、銀行、郵便局などに時間を聞きましょう。

☞ ポイント 21

# 2 私のスケジュール

## チャレンジ！  A 37-40

教室で先生やクラスメイトと話しています。
You are talking with your teacher and classmates in the classroom.
在教室和老师、同学说话。
교실에서 선생님이나 반 친구와 말하고 있습니다.

**スケジュール**
- 4月 花見
- 5/21 留学生パーティー
- 6/24 バス旅行
- 8月 夏休み テスト

1  5/21 留学生パーティー

2  6/24 バス旅行

学校の1年のスケジュールについて質問したり、自分の1年の予定を話したりすることができる。
You can ask about your school's annual schedule, and talk about your plans for the year.
会询问今后一年学校的安排、谈论自己今后一年的计划。
학교의 1년 스케줄에 대해서 질문하거나 자신의 1년 계획을 말할 수 있다.

教室でクラスメイトと話しています。
You are talking with classmates in the classroom.
在教室和同学说话。
교실에서 반 친구와 말하고 있습니다.

3

8/2 ～ 8/24
夏休み

4

☞ ポイント 16、17、18、20

# 言ってみよう

① 例） A：4月10日はお花見です。
　　　 B：えっ、お花見？　何をしますか。
　　　 A：桜を見ます。お弁当を食べます。
　　　 B：そうですか。

1年のスケジュール
例）4月10日　お花見
① 6月25日　留学生パーティー
② 8月6日～9日　ホームステイ
③ 1月14日～17日　北海道旅行

② 例） A：5月15日はバス旅行です。
　　　 B：どこへ行きますか。
　　　 A：富士山へ行きます。
　　　 B：へえ、そうですか。

1年のスケジュール
例）5月15日　　　バス旅行　　　　例）富士山
① 8月4日～7日　ホームステイ　　① 京都
② 12月26日・27日　スキー旅行　　② 北海道

3 例) A：春休み、国へ帰りますか。

B：はい、帰ります。

B：いいえ、帰りません。

例 春休み・国へ帰ります
① 秋休み・アルバイトをします
② 冬休み・旅行をします
③ 夏休み・海へ行きます

4 例) A：Bさん、ゴールデンウィーク、何をしますか。
B：公園へ行きます。公園でバーベキューをします。
A：いいですね。

例 ⇨ 公園

① ⇨ 博多

② ⇨ 青森

③ ⇨ 北海道

# やってみよう

◎ CDを聞いてください。

| | いつ | 何をしますか |
|---|---|---|
| 例) | 8月10日～13日 | ⓐ |
| 1 | 　月　　日 | |
| 2 | 　月　　日（　時～） | |

ⓐ → 大阪
ⓑ → 横浜
ⓒ
ⓓ
ⓔ
ⓕ

■ ペアで話しましょう。

A あなたは学校のスケジュールを知りません。
知りたいスケジュールを右の□の中から選んで、
Bさんに聞いてください。

B 57ページを見て、Aさんの質問に答えてください。

お花見　　花火
お祭り　　パーティー
バス旅行　スキー旅行
ホームステイ　テスト
夏休み　　冬休み

| スケジュール ||  |
|---|---|---|
| 4月 | お花見(6日) | 桜を見ます。お弁当を食べます。 |
| 5月 | バス旅行(13日) | 横浜の公園でバーベキューをします。<br>ベイブリッジを見ます。 |
| 6月 | テスト(2日・3日) |  |
| 7月 | 花火(29日18:00～)<br>夏休み(26日～8月17日) | 浅草で花火を見ます。 |
| 8月 | ホームステイ(13日～15日) | 北海道でホームステイをします。 |
| 9月 |  |  |
| 10月 | お祭り(23日) | 浅草へ行きます。浅草でお祭りを見ます。 |
| 11月 |  |  |
| 12月 | 冬休み(20日～1月7日) |  |
| 1月 | スキー旅行(24日・25日) | 長野へ行きます。 |
| 2月 | 留学生パーティー(10日14:00～)<br>テスト(14日・15日) | 学校の2階です。 |
| 3月 |  |  |

☞ ポイント 16、17、18、20

# 3 どんな毎日？

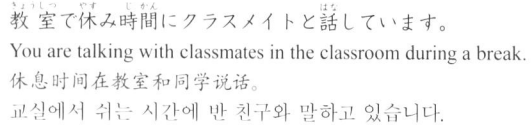

## チャレンジ！  A 42-47

教室で休み時間にクラスメイトと話しています。
You are talking with classmates in the classroom during a break.
休息时间在教室和同学说话。
교실에서 쉬는 시간에 반 친구와 말하고 있습니다.

### 1
月火水木…

### 2

### 3

### 4

日常生活について話したり質問したりすることができる。
You can talk and ask about things pertaining to daily life.
会谈论日常生活。
일상생활에 대해서 말하거나 질문할 수 있다.

授業が終わってクラスメイトと話しています。
You are talking with classmates after class.
下课后和同学说话。
수업이 끝나고 반 친구와 이야기하고 있습니다.

ポイント　16、19、21、22、23

# 言ってみよう

1 例) A：毎日、インターネットをしますか。
   B：はい、します。
   A：へえ。

2
3
A：毎日、朝ご飯を食べますか。

例1) B：はい。
   A：何を食べますか。
   B：パンや卵などを食べます。
   A：何を飲みますか。
   B：牛乳を飲みます。
   A：そうですか。

例2) B：いいえ。私は朝、何も食べません。
   コーヒーを飲みます。
   A：そうですか。

4  
5  😊

例1） A：毎朝、何時に学校へ来ますか。
　　　B：8時に来ます。💬
　　　A：へえ。

例2） A：毎日、何時から何時まで勉強しますか。
　　　B：9時から12時まで勉強します。💬
　　　A：へえ。

**6**

A：Bさんは午後、どこへ行きますか。

例1） B：どこへも行きません。
　　　　うちでインターネットをします。
　　　A：そうですか。

例2） B：図書館へ行きます。
　　　　図書館で日本語を勉強します。
　　　A：そうですか。

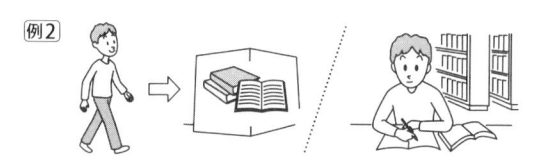

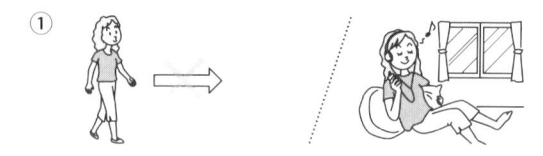

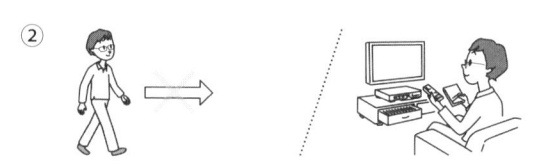

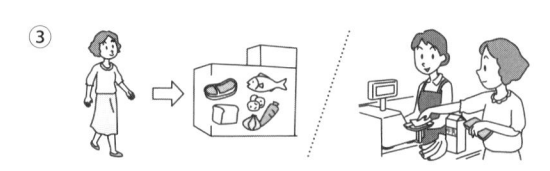

# やってみよう  A 48

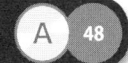

◎ CDを聞いてください。何をしますか。

例) ＿d＿   1 ＿＿＿   2 ＿＿＿

ⓐ  ⓑ  ⓒ
ⓓ  ⓔ  ⓕ

■ ペアで話しましょう。

A カードを引いてください。そして、引いたカードの人物になりきって話してください。
B Aさんに質問してください。

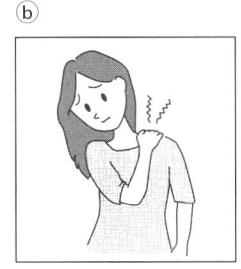

ⓐ  ⓑ  ⓒ  ⓓ

☞ ポイント　16、19、21、22、23

## できる！

- 先生や会社の人にあなたの学校や会社のスケジュールを聞きましょう。

```
(         )    時〜    時
(         )    時〜    時
(         )    時〜    時
```

```
(              )    月   日〜    月   日
(              )    月   日〜    月   日
(              )    月   日〜    月   日
(              )    月   日〜    月   日
```

### 話 読 聞 書

### 「私の1週間」

私は日本語学校の学生です。月曜日から金曜日まで、学校へ行きます。朝9時から12時半まで学校で日本語を勉強します。週末、図書館へ行きます。図書館で本を読みます。水曜日と土曜日、コンビニでアルバイトをします。4時から8時まで働きます。

週末

毎日、何をしますか

週末、何をしますか

# ことば

## 1 何時までですか

今
午前
午後
昼
銀行
体育館
図書館
病院
郵便局
授業
テスト
休み
時間
～時
～分
　今、9時20分です。
～時半
～曜日

## 2 私のスケジュール

スケジュール
アルバイト
スキー
パーティー
バーベキュー
花火
(お)花見
ホームステイ
(お)祭り
海
公園

桜
(お)酒
(お)すし
バス
(お)弁当
留学生
1年
春
夏
秋
冬
ゴールデンウィーク
何
行きます[行く]1
帰ります[帰る]1
飲みます[飲む]1
食べます[食べる]2
見ます[見る]2
します[する]3
　スキーをします。
いいですね
　A：夏休み、北海道へ行きます。
　B：いいですね。
えっ
へえ

## 3 どんな毎日？

朝
夜
毎日
毎朝
毎晩
朝ご飯

昼ご飯
うち
会社
学校
コンビニ
牛乳
果物
サラダ
チーズ
インターネット
新聞
テレビ
CD
DVD
何も
どこ(へ)も
買います[買う]1
聞きます[聞く]1
　CDを聞きます。
働きます[働く]1
読みます[読む]1
起きます[起きる]2
寝ます[寝る]2
勉強・します[勉強・する]3
来ます[来る]3

# もう一度聞こう

## 教室で

本田：これは学校のスケジュールです。6月24日はバス旅行です。
　　　夏休みは8月2日から8月24日までです。
ダニエル：パクさんは夏休み、何をしますか。
パク：私は国へ帰ります。ダニエルさんも国へ帰りますか。
ダニエル：いいえ、帰りません。北海道へ行きます。
パク：そうですか。いいですね。

## 電話で

パク：あのう、すみません。図書館は何時から何時までですか。
図書館の人：午前9時から午後5時までです。
パク：そうですか。休みはいつですか。
図書館の人：月曜日です。
パク：そうですか。ありがとうございます。

## 授業後の教室で

アンナ：パクさんは午後、何をしますか。
パク：図書館へ行きます。
アンナ：あっ、私も行きます。

# 第4課
## 私の国・町

## 話してみよう

## 聞いてみよう

A 49

# 1 どこ？

## チャレンジ！  A 50-52

教室で世界地図を見ながらクラスメイトと話しています。
You and your classmates are chatting while looking at a world map in the classroom.
在教室和同学看着世界地图说话。
교실에서 세계 지도를 보면서 반 친구와 말하고 있습니다.

1

タイ
アユタヤ

アユタヤ

自分の国・町の位置や日本までの時間などを言ったり相手に質問したりすることができる。
You can tell others about the location of your country/hometown, the time it takes to travel to Japan, etc., and can ask others about theirs.
会谈论自己或询问别人国家、城市的位置，到日本需要多少时间等。
자신의 나라・고장의 위치, 일본까지의 소요 시간 등을 말하거나 상대방에게 질문할 수 있다.

2
東京　アユタヤ　？
バンコク　6h

3
アユタヤ
バンコク
🚌 1.5h

☞ ポイント　29、30、31

# 言ってみよう

1 例) A：お国はどちらですか。
　　 B：オーストラリアです。
　　 A：オーストラリアのどこですか。
　　 B：シドニーです。
　　 A：シドニーはどこですか。
　　 B：シドニーはオーストラリアの東です。

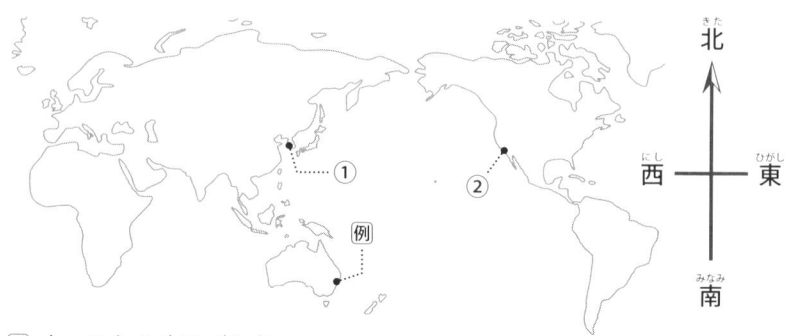

例 オーストラリア／シドニー
① 韓国／ソウル　② アメリカ／ロサンゼルス

2 例) A：東京からアユタヤまでどのくらいですか。
3　　 B：東京からバンコクまで飛行機で6時間くらいです。
　　　 バンコクからアユタヤまでバスで1時間半くらいです。
　　 A：へえ。

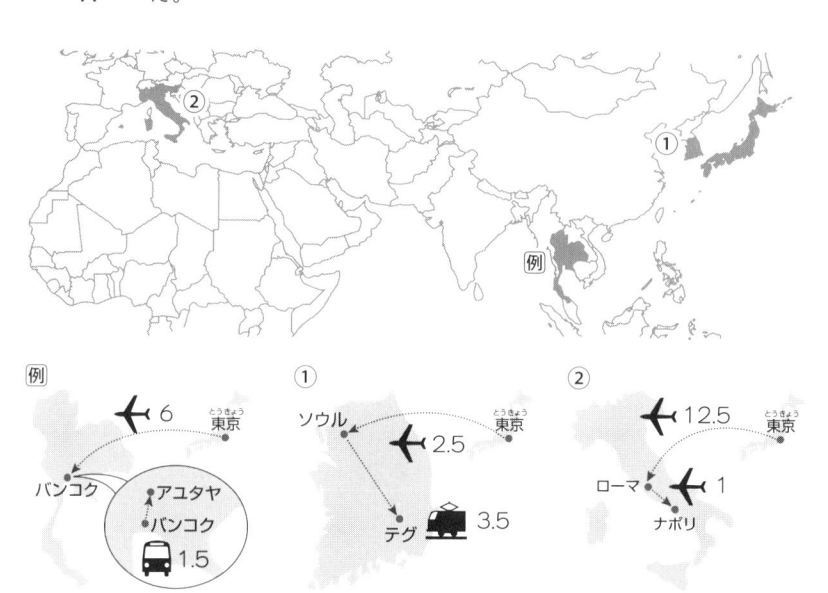

# やってみよう   A 53

◎ ワンさんの国の話です。CDを聞いてください。

| ワンさんの国 | どのくらい |
|---|---|
|  |  |

■ あなたの国や町はどこですか。日本からどのくらいですか。
　クラスメイトと地図を見て、話しましょう。

☞ ポイント　29、30、31

# 2 どんなところ？

## チャレンジ！ A 54-60

教室で国や町の写真を見ながらクラスメイトと話しています。
You and your classmates are chatting while looking at photos of countries/hometowns in the classroom.
在教室和同学看着家乡的照片说话。
교실에서 나라나 고장의 사진을 보면서 반 친구와 말하고 있습니다.

1

2

3

4  町？ モスクワ

自分の国や町がどんなところか話したり相手に質問したりすることができる。
You can describe your country/hometown to others, and can ask others about theirs.
会谈论自己或询问别人的国家、城市的特点。
자신의 나라나 고장이 어떤 곳인지 말하거나 상대방에게 질문할 수 있다.

5

モスクワ
？？

6

お国
？
オーストラリア
パース
パース
？？
スワン川

7

パース

ポイント　24、25、28、32、34、35

# 言ってみよう

1　例）私の町はにぎやかです。

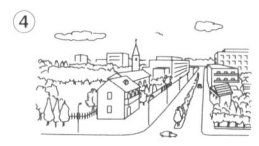

2　例1）A：Bさんの町は大きいですか。

B：はい、大きいです。

B：いいえ、大きくないです。

例2）A：Bさんの町はにぎやかですか。

B：はい、にぎやかです。

B：いいえ、にぎやかじゃありません。

例1 大きい　例2 にぎやか　① 緑が多い　② 人が多い　③ 静か

3　例）これは法隆寺です。法隆寺は古いお寺です。

例 法隆寺／古い・お寺　① 姫路城／大きい・お城

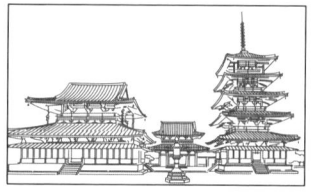

② 高尾山／きれい・山 　③ みどり公園／大きい・公園

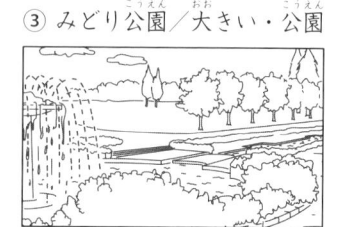

4 例) A：Bさんの町はどんなところですか。
　　B：にぎやかなところです。

例 にぎやか・ところ
① いい・ところ　② 静か・ところ　③ 古い・町　④ 小さい・町

5 例) A：Bさんの町に何がありますか。
　　B：お城があります。
　　A：どんなお城ですか。
　　B：大きいお城です。

例 お城／大きい　① 教会／きれい　② お寺／古い　③ 公園／大きい

6 私の町にお城があります。
姫路城です。
姫路城はきれいです。
そして、有名です。

7 私の町にきれいな山があります。
高尾山です。
高尾山は低いですが、
きれいです。

## やってみよう　A 61

◎ CDを聞いてください。いろいろな人の町です。どんなところですか。聞いてください。

1 マルコ _____　2 パク _____　3 山口 _____　4 木村 _____

ⓐ　ⓑ　ⓒ　ⓓ

■ あなたの国や町はどんなところですか。何がありますか。クラスメイトと話しましょう。

☞ ポイント　24、25、28、32、34、35

# 3 季節・料理

## チャレンジ！   A 62-66

教室でクラスメイトと話しています。
You are talking with classmates in the classroom.
在教室和同学说话。
교실에서 반 친구와 말하고 있습니다.

1

2 ペキン 8月

3 プサン 8月

自分の国・町の気候や料理について話したり相手に質問したりすることができる。
You can tell others about the climate and cuisine of your country/hometown, and can ask others about theirs.
会谈论自己或询问别人国家、城市的气候特点、饭菜的特点。
자신의 나라・고장의 기후나 요리에 대해서 말하거나 상대방에게 질문할 수 있다.

4
モスクワ？
モスクワ 8月

5
韓国
サムゲタン

ポイント　26、27、33、36

# 言ってみよう

1 例) A: 暑いですね。
　　 B: そうですね。

2
3 A: 暑いですね。
　 B: そうですね。
　 A: Bさんの国も8月、暑いですか。

　　 B: はい、とても暑いです。

　　 B: いいえ、あまり暑くないです。

4 例) A: 毎日、暑いですね。
　　 B: そうですね。Aさんの国も8月、暑いですか。
　　 A: はい、とても暑いです。Bさんの国はどうですか。
　　 B: 私の国は8月、あまり暑くないです。

5 例) A：Bさんの国で夏に何を食べますか。
B：私の国でサムゲタンを食べます。
A：さむげたん？「サムゲタン」は何ですか。
B：サムゲタンは鶏肉のスープです。おいしいです。
A：へえ。

例）夏・食べます
① 冬・食べます　② 暑い日・飲みます　③ 寒い日・飲みます

## やってみよう

CDを聞いてください。どんな気候ですか。何を食べますか。

| 1 | 私の町は12月、＿＿＿＿＿＿です。雨が＿＿＿＿＿＿です。<br>＿＿＿＿＿＿日、公園でバーベキューをします。 |
| --- | --- |
| 2 | 私の国は8月、とても＿＿＿＿＿＿です。メロンのジュースを飲みます。<br>＿＿＿＿＿＿です。そして、とても＿＿＿＿＿＿です。おいしいです。 |

■ あなたの国・町の気候はどうですか。暑い日や寒い日に何を食べますか。何を飲みますか。クラスメイトと話しましょう。

☞ ポイント　26、27、33、36

# できる！

- 周りの人と自分の国・町について話しましょう。

例 紹介したいところの写真を何枚か用意して、クラスメイトと話しましょう。
例 ガイドブックにはない有名なものや食べ物を紹介しましょう。
例 国の祭りやお祝いの日はいつですか。何をしますか。何を食べますか。紹介しましょう。

## 話 読 聞 書

### 「私の国・町」

私はイタリアのフィレンツェから来ました。フィレンツェはイタリアの少し北です。フィレンツェはとてもにぎやかなところです。古い教会や美術館などがあります。教会はとてもきれいです。2月にチョコレートの祭りがあります。いろいろなチョコレートがあります。とてもおいしいです。フィレンツェは春、暖かいです。そして、雨が少ないです。フィレンツェはいいところです。皆さん、ぜひ来てください。

---

チョコレート　美術館　皆さん　いろいろ(な)　～から来ました
ぜひ来てください

- お国はどちらですか
- どんなところですか
- 何がありますか
- 何がおいしいですか
- 天気はどうですか

## ことば

### 1 どこ？

北
南
東
西
真ん中
車
新幹線
電車
飛行機
駅
町
～時間
～時間半
～分
　うちから学校まで20分です。
歩いて
～くらい
どのくらい

### 2 どんなところ？

温泉
川
山
教会
(お)城
神社
(お)寺
ビル
ところ
人
緑
あります[ある] 1
　箱根に温泉があります。
新しい
古い
いい
(～が)多い
(～が)少ない
大きい
小さい
高い
　富士山は高いです。
低い
きれい(な)
静か(な)
にぎやか(な)
有名(な)
どんな
そして

### 3 季節・料理

雨
雪
日
メロン
暖かい
涼しい
暑い
寒い
天気がいい
天気が悪い
温かい
熱い
冷たい
おいしい
甘い
辛い
苦い
すっぱい
一年中
あまり
　私の国は夏、あまり暑くないです。
少し
とても
どう
そうですね

## もう一度聞こう

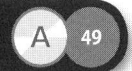

パク：ナタポンさんのお国はどちらですか。
ナタポン：タイです。
パク：タイですか。タイから日本までどのくらいですか。
ナタポン：6時間くらいです。
パク：そうですか。タイのどこですか。
ナタポン：アユタヤです。
パク：アユタヤ？　アユタヤはどんなところですか。
ナタポン：静かなところです。そして、きれいです。
古いお寺や大きい川などがあります。お寺は夜、とてもきれいです。
パク：そうですか。いいですね。
ナタポン：果物もたくさんあります。タイの果物はとてもおいしいですよ。
パク：へえ。
ナタポン：タイは11月から5月まで雨が少ないです。ぜひ、タイへ来てください。
パク：はい。ありがとうございます。

---

たくさん

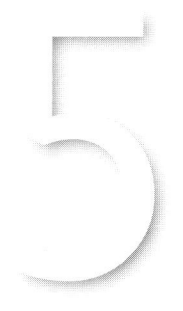

# 第5課
## 休みの日

## 話してみよう

## 聞いてみよう

# 1 週末

## チャレンジ！  A 69-72

月曜日の朝、教室でクラスメイトと話しています。
You are talking with classmates in the classroom on Monday morning.
周一早上在教室和同学说话。
월요일 아침, 교실에서 반 친구와 말하고 있습니다.

1

2

休みの日にしたことについて話したり質問したりすることができる。
You can tell others about things you did on a day off, and can ask them what they did.
会谈论自己或询问别人节假日做了什么事情。
쉬는 날에 한 일에 대해서 말하거나 질문할 수 있다.

3

昨日

4

ポイント　37、43、45、46

# 言ってみよう

1 例) A：日曜日(に)、何をしましたか。
   B：友達の家へ行きました。
   A：そうですか。

2 A：週末(に)、どこか(へ)行きましたか。

   例1) B：はい、新宿へ行きました。
        新宿のデパートで買い物しました。
        A：そうですか。

   例2) B：いいえ、どこ(へ)も行きませんでした。
        うちでテレビを見ました。
        A：そうですか。

3 例) A：日曜日(に)、何をしましたか。
   B：家族と箱根へ行きました。
   A：そうですか。

4 例) A：昨日、何をしましたか。
　　 B：友達の家へ行きました。それから、ゲームをしました。
　　 A：そうですか。どのくらいしましたか。
　　 B：4時間くらいしました。
　　 A：へえ。

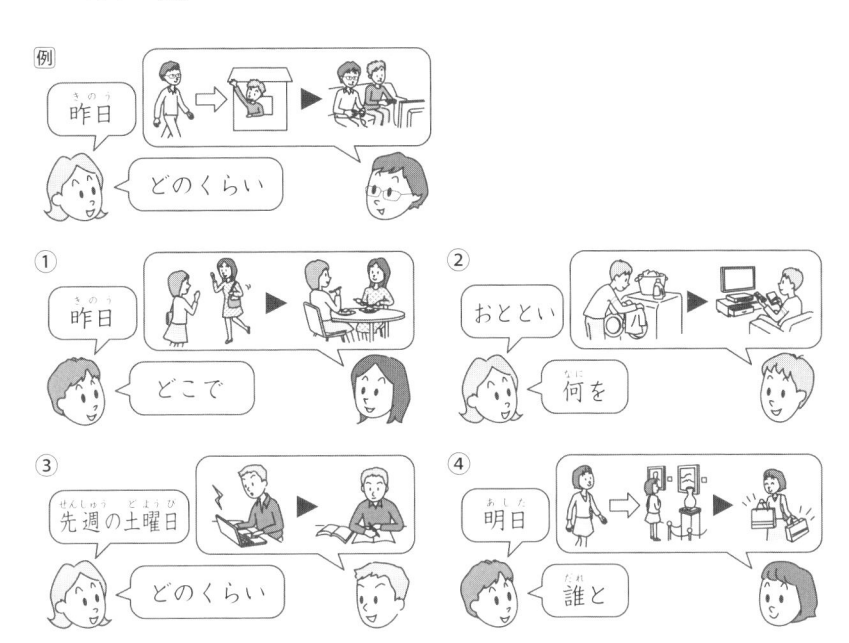

例）昨日／どのくらい

① 昨日／どこで
② おととい／何を
③ 先週の土曜日／どのくらい
④ 明日／誰と

## やってみよう　A 73

CDを聞いてください。日曜日、何をしましたか。下から選んでください。

ⓐ 友達の家　ⓑ 新宿　ⓒ 渋谷　ⓓ 公園　ⓔ ×

| | | どこ？ | 何？ |
|---|---|---|---|
| 例 | 山口 | ⓑ | ⓘ、ⓚ |
| 1 | パク | | |
| | マルコ | | |
| 2 | ダニエル | | |
| | ワン | | |

■ 週末、何をしましたか。クラスメイトと話しましょう。

ポイント　37、43、45、46

# 2 休みの後で

## チャレンジ！  A 74-77

教室で休み時間にクラスメイトと話しています。
You are talking with classmates in the classroom during a break.
休息时间在教室和同学说话。
교실에서 쉬는 시간에 반 친구와 말하고 있습니다.

### 1-1

### 1-2

休みの日の感想を話したり質問したりすることができる。
You can tell others your impressions of a day off, and can ask them about theirs.
会谈论自己或询问别人对节假日发生的事情的感想。
쉬는 날의 감상을 말하거나 질문할 수 있다.

1-3

2

ポイント 38、44、47

# 言ってみよう

## 1-1 ☺

例) A：週末、何をしましたか。
　　B：旅行をしました。
　　A：旅行は楽しかったですか。💬

　　B：はい、楽しかったです。💬
　　A：そうですか。

　　B：いいえ、楽しくなかったです。💬
　　A：そうですか。

1-2 例) A：日曜日、何をしましたか。
　　　　B：友達と映画を見ました。
　　　　A：へえ。(映画は)どうでしたか。
　　　　B：とてもおもしろかったです。

1-3 例) A：日曜日、どこかへ行きましたか。
　　　　B：はい、新宿へ行きました。
　　　　　　新宿でおすしを食べました。おいしかったです。
　　　　A：そうですか。

例) 新宿／おすし／おいしい
① 渋谷／服／安い
② 横浜／海／きれい
③ 箱根／温泉／気持ちがいい

2 〈金曜日〉
例) A：週末、何をしますか。
　　B：パソコンを買います。
　　A：そうですか。いいですね。

〈月曜日〉
例) A：Bさん、パソコンを買いましたか。
　　B：いいえ、買いませんでした。
　　A：どうして買いませんでしたか。
　　B：高かったですから（、買いませんでした）。

## やってみよう　A 78

◎ CDを聞いてください。何をしましたか。どうでしたか。

|   |      | 何をしましたか。どうでしたか |   |
|---|------|---|---|
| 1 | マルコ |   |   |
| 2 | パク  |   |   |
| 3 | アンナ |   |   |

- ⓐ おいしかったです
- ⓘ 熱かったです
- ⓤ 楽しかったです
- ⓔ 気持ちがよかったです
- ⓞ おもしろくなかったです
- ⓚ にぎやかでした
- ⓖ きれいでした

■ ペアで話しましょう。

A この写真はあなたが休みに撮りました。
　写真を1枚選んで、Bさんにあなたの休みを話してください。

B Aさんの話を聞いて、質問してください。

☞ ポイント　38、44、47

# 3 今度の休みに

## チャレンジ！  A 79-82

学校の帰りに電車の中でクラスメイトと話しています。
You are talking with classmates in a train on the way home from school.
在回家的电车里和同学说话。
학교에서 돌아오는 전철 안에서 반 친구와 말하고 있습니다.

1

今度の休み

→ 新宿

2

休みの日に何をするか話したり質問したりすることができる。
You can tell others your plans for a day off and can ask others about theirs.
会谈论自己或询问别人节假日计划做什么事情。
쉬는 날에 무엇을 할 것인지 말하거나 질문할 수 있다.

3 大阪 / 大阪

4 今度の休み / 渋谷

ポイント 39、40、41、42

# 言ってみよう

1 例) A：今度の休みに何をしますか。
   B：パソコンがほしいですから、サカイ電器へ行きます。
   A：そうですか。

例) パソコン・サカイ電器
① 自転車・ニコニコショッピングビル
② 大きいかばん・デパート
③ 携帯電話・秋葉原
④ 新しい財布・新宿

2 例) A：Bさんは買い物が好きですか。
3      B：はい、好きです。日曜日、新宿で買い物をします。
       A：へえ、いいですね。私も買い物をしたいです。

例) 日曜日・新宿
① 今晩・うち    ② 週末・渋谷
③ 今年の夏休み   ④ 来年の春休み

4) 例) A：Bさん、今度の休みにどこかへ行きますか。
　　　B：はい、山へ写真を撮りに行きます。

例)　→　山　→　(写真を撮る)

① → 上野
② → 渋谷
③ → 箱根
④ → 貸出コーナー

## やってみよう　A 83

CDを聞いてください。今度の休みに何をしますか。

1 アンナ ＿＿＿＿　　2 マルコ ＿＿＿＿

ⓐ　ⓑ　ⓒ　ⓓ　ⓔ

■ ビンゴゲームをしましょう。
週末やること・ほしいものを
ビンゴ表の中に書いて、
同じ人を探してください。

| 自転車が<br>ほしいです | | お祭りを<br>見たいです |
|---|---|---|
| | 日曜日、<br>おもしろい映画を<br>見たいです | |
| | 靴がほしいです | |

👉 ポイント　39、40、41、42

# できる！

● 日本へ来てしたことや行ったところをクラスメイトに紹介しましょう。

1 ペアで話しましょう。
2 簡単な紹介文を書きましょう。
3 クラスメイトの紹介文を読みましょう。
4 クラスメイトの紹介文の中で、あなたがしたことや行ったところはありますか。
  これからしたいこと、行きたいところはありますか。

## 話 読 聞 書

### 「楽しい1日」

日曜日、友達と近くの山に登りました。天気がよかったですから、とても気持ちがよかったです。山でお弁当を食べました。山からの景色はとてもきれいでした。それから、古いお寺を見に行きました。とてもおもしろかったです。とても楽しい1日でした。また行きたいです。

―――――――――――――――――――――――――――
近く　1日　また

週末、何をしましたか

誰と
行きましたか

どうでしたか

へえ。それから？

# ことば

## 1 週末

今日(きょう)
明日(あした)
あさって
昨日(きのう)
おととい
先週(せんしゅう)
週末(しゅうまつ)
家(いえ)
部屋(へや)
デパート
美術館(びじゅつかん)
ゲーム
家族(かぞく)
恋人(こいびと)
友達(ともだち)
ルームメイト
どこか(へ)
会います[会う]1
作ります[作る]1
買い物・します[買い物・する]3
食事・します[食事・する]3
洗濯・します[洗濯・する]3
掃除・します[掃除・する]3
それから
1人(ひとり)で

## 2 休みの後で

今朝(けさ)
先月(せんげつ)
去年(きょねん)
風邪(かぜ)
天気(てんき)
晩ご飯(ばんごはん)
服(ふく)
登ります[登る]1
入ります[入る]1
　温泉に入ります。
忙しい(いそがしい)
おもしろい
気持ちがいい(きもちがいい)
高い(たかい)
　パソコンは高かったです。
安い(やすい)
楽しい(たのしい)
難しい(むずかしい)
簡単(な)(かんたん)
大変(な)(たいへん)
暇(な)(ひま)
どうして

## 3 今度の休みに

今度(こんど)
今晩(こんばん)
今年(ことし)
来年(らいねん)
アニメ
絵(え)
景色(けしき)
自転車(じてんしゃ)
写真(しゃしん)
撮ります[撮る]1
借ります[借りる]2
ほしい
好き(な)(すき)
嫌い(な)(きらい)

## もう一度聞こう

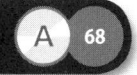

マルコ：パクさん、日曜日、何をしましたか。
パク：寮の友達とバーベキューをしました。
マルコ：へえ。どうでしたか。
パク：とても楽しかったです。いろいろな国の料理も食べました。
マルコ：それはよかったですね。
パク：人が多かったですから、にぎやかでした。
マルコ：そうですか。
パク：マルコさんは日曜日、どこかへ行きましたか。
マルコ：はい。箱根へ行きました。
パク：へえ。友達と行きましたか。
マルコ：いいえ、1人で行きました。友達は仕事でしたから。
パク：そうですか。箱根で何をしましたか。
マルコ：温泉に入りました。とても気持ちがよかったです。
パク：マルコさんは温泉が好きですか。
マルコ：はい。また行きたいです。

---

寮　いろいろ(な)　また　それはよかったですね

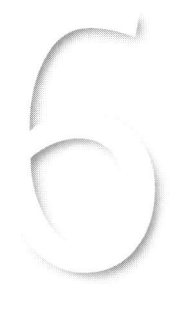

# 第6課
# 一緒に！

## 話してみよう

## 聞いてみよう

B 01

# 1 一緒に行きませんか

## チャレンジ！  B 02-05

教室でクラスメイトを誘っています。
You are making an invitation to classmates in the classroom.
在教室邀请同学一起做某事。
교실에서 반 친구에게 제안하고 있습니다.

友達を誘うことができる。また、誘いを受けたり断ったりすることができる。
You can make invitations to friends, and can accept or decline invitations from others.
会邀请朋友一起作某事。会接受邀请或拒绝邀请。
친구에게 제안할 수 있다. 또한, 제안을 수락하거나 거절할 수 있다.

1

今晩

2

3

横浜
花火

4

ポイント　48、49、50、51、52

# 言ってみよう

1 

例) A：今晩、一緒にご飯を食べませんか。

B：いいですね。食べましょう。

B：ああ、今晩ですか。すみません。
今晩はちょっと……。

例 今晩・ご飯
① 今週の金曜日・映画　② 来週の日曜日・サッカー
③ 夏休み・富士山　　　④ 今月の20日・コンサート

2 

例) A：今晩、カラオケに行きませんか。
B：ああ、今晩ですか。すみません。
今晩はちょっと……。用事がありますから。
A：ああ、そうですか。残念です。じゃ、また今度。

例 A：今晩・カラオケ
　 B：今晩／用事
① A：夏休み・旅行
　 B：夏休み／アルバイト
② A：あさって・バーベキュー
　 B：あさって／月曜日・テスト
③ A：週末・買い物
　 B：週末／用事
④ A：来月の15日・ドライブ
　 B：来月の15日／約束

3  例) A：あ、横浜で野球の試合があります。
　　　B：へえ。
　　　A：Bさん、一緒に見に行きませんか。
　　　B：いいですね。

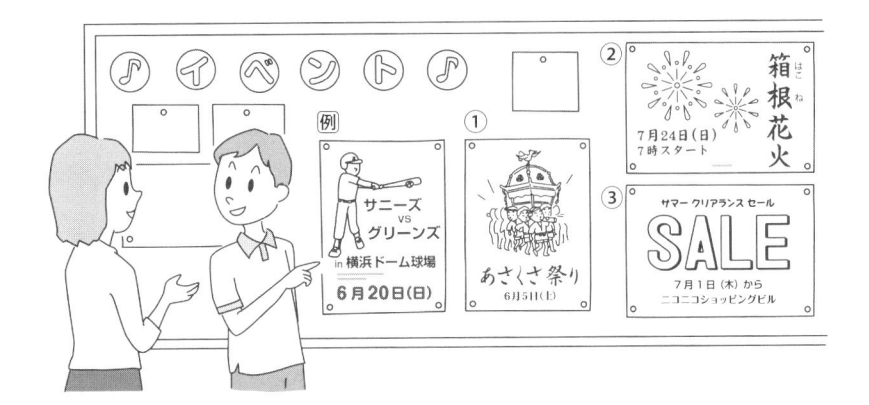

4  例) A：Bさんはサッカーが好きですか。
　　　B：はい。
　　　A：そうですか。サッカーのチケットが2枚あります。
　　　　　一緒に見に行きませんか。
　　　B：わあ、いいですね。行きましょう。

# やってみよう

◎ CDを聞いてください。2人は一緒にしますか、しませんか。

例1) ＿○＿　　例2) ＿×＿

1 ＿＿＿　2 ＿＿＿　3 ＿＿＿　4 ＿＿＿　5 ＿＿＿

■ ロールプレイをしましょう。

A 自分がしたいことにBさんを誘ってください。
B Aさんの話を聞いて、するかしないか答えてください。

☞ポイント 48、49、50、51、52

# 2 どちらがいいですか

## チャレンジ！　　　　　　　　　　　　　　　B 07-09

教室でクラスメイトを誘っています。
You are making an invitation to classmates in the classroom.
在教室邀请同学一起做某事。
교실에서 반 친구에게 제안하고 있습니다.

1

友達の意向を聞いたり情報を比べたりしながら相談することができる。
You can discuss plans with friends, including asking what they want to do and comparing options.
(计划某事时)会和朋友商量，询问朋友的想法，比较各种信息。
친구의 의향을 묻거나 정보를 비교하면서 상담할 수 있다.

ポイント　53、54、55、56

# 言ってみよう

① 例) A：Bさん、映画で何がいちばん好きですか。
　　 B：コメディーがいちばん好きです。
　　 A：そうですか。

例) 映画・好き
① 日本の食べ物・好き　② 東京・おもしろい
③ 歌手・好き　　　　　④ 新宿の居酒屋・安い

② 例) A：Bさん、一緒に映画を見に行きませんか。
　　 B：いいですね。どこで見ますか。
　　 A：あっ、ニコニコ映画館とふじ映画館があります。
　　 B：そうですか。ニコニコ映画館とふじ映画館と
　　　　どちらが近いですか。
　　 A：ニコニコ映画館のほうが近いです。
　　 B：そうですか。じゃ、ニコニコ映画館へ行きましょう。

例) A：映画　　　　　　　　B：近い
① A：バーベキュー　　　　B：広い
② A：ケーキの食べ放題　　B：安い
③ A：お花見　　　　　　　B：桜が多い

例) シネマ情報
映画館
駅から歩いて5分 ニコニコ映画館
駅からバスで10分 ふじ映画館

① みんなでワイワイ
人気のバーベキュースポット
●さくら公園 560㎡
●みどり公園 28,000㎡

② 新宿でケーキ食べ放題
オレンジ
コーヒー・紅茶も飲み放題!!
90分 2,500円
ひまわり
チーズケーキがおいしい！
90分 1,200円

③ ここがおすすめ! お花見へ行こう！
みどり公園 38本
わかば公園 120本

3 例) A：新宿と渋谷とどちらがいいですか。
B：そうですねえ。新宿のほうがいいです。
新宿は渋谷より近いですから。
A：そうですか。じゃ、新宿へ行きましょう。

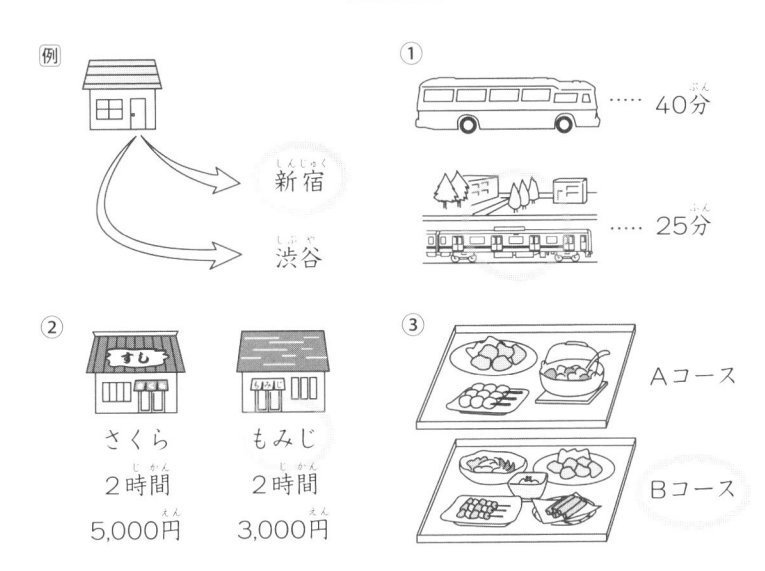

例）新宿／渋谷

① バス……40分　　電車……25分

② さくら　2時間　5,000円　／　もみじ　2時間　3,000円

③ Aコース／Bコース

## やってみよう

CDを聞いてください。週末に友達と食事に行きます。どの店へ行きますか。

ⓐ すし食べ放題
90分　2,200円
東京でいちばん有名な店
新宿駅から歩いて15分

ⓑ 焼き肉食べ放題
90分　1,800円
料理もおいしい！
新宿駅から歩いて5分

ⓒ 焼き肉食べ放題
90分　1,200円
ケーキもおいしい！
新宿駅から歩いて10分

いつ＿＿＿＿＿＿＿＿　どの店＿＿＿＿＿＿＿＿

どうしてこの店に行きますか。＿＿＿＿＿＿＿＿＿＿＿＿

■話しましょう。あなたは上のⓐ〜ⓒのどの店へ行きますか。

ポイント　53、54、55、56

# 3 約束

## チャレンジ！  B 11-14

教室でクラスメイトを誘っています。
You are making an invitation to classmates in the classroom.
在教室邀请同学一起做某事。
교실에서 반 친구에게 제안하고 있습니다.

1

- ご飯 / 何？
- もう / ？
      
2

- 新宿 / お好み焼き

会う場所や時間などを約束することができる。
You can make a date, including deciding the place and time to meet.
会约定见面的地点和场所。
만날 장소나 시간 등을 약속할 수 있다.

3

| 月火水木金土日　金土日　金土日　いつ？

4

| 何時？　6時　6時

ポイント　57、58、59、60

## 言ってみよう

### 1

例) A：今度、一緒に遊びに行きませんか。
　　B：いいですね。何をしますか。
　　A：Bさんはもう東京タワーへ行きましたか。

　　B：いいえ、まだです。
　　A：じゃ、東京タワーへ行きませんか。
　　B：いいですね。そうしましょう。

　　B：はい、行きました。
　　A：そうですか。じゃ、お台場へ行きませんか。
　　B：いいですね。そうしましょう。

例) 遊びに行きます
① 映画を見ます　② ご飯を食べます　③ ドライブをします

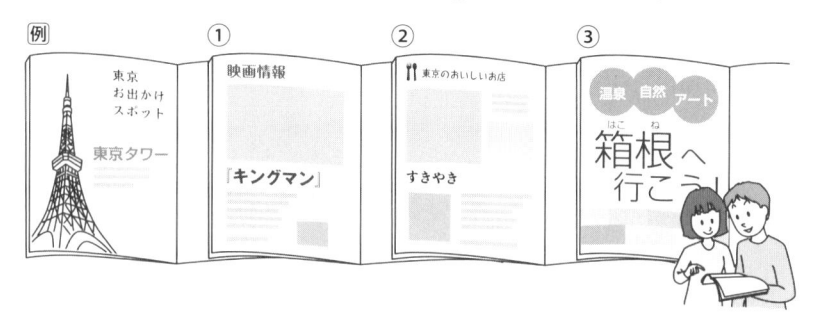

### 2

例) A：一緒にお好み焼きを食べに行きませんか。
　　　　お好み焼きはおいしいですよ。
　　B：へえ。ぜひ、行きたいです。

例) お好み焼き／おいしい
① 浅草／楽しい　　　　　　　② あさひラーメン／安い
③ ふじまるランド／おもしろい　④ わかば公園の桜／きれい

### 3

例) A：Bさん、週末、一緒に飲みに行きませんか。
　　B：いいですね。どこへ行きますか。
　　A：新宿の居酒屋はどうですか。
　　B：いいですね。そうしましょう。

例 飲みに行きます／新宿の居酒屋
① 服を買いに行きます／渋谷
② うちで日本の料理を作ります／すき焼き
③ 食事に行きます／💭
④ 遊びに行きます／💭

4 例) A：何時に会いますか。💭
    B：5時はどうですか。
    A：5時ですね。わかりました。

例 5時　① 6時　② 新宿駅　③ みどり公園　④ 4時・ふじ映画館

## やってみよう　B 15

CDを聞いてください。パクさんは何をしますか。いつ、どこで会いますか。
今日は10日月曜日です。

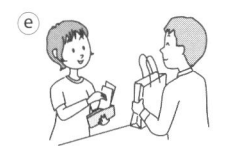

ⓐ ⇒ お台場　ⓑ　ⓒ　ⓓ　ⓔ

| 10(月) ⓑ、5時〜、渋谷駅 | 17(月) |
| 11(火) | 18(火) |
| 12(水) | 19(水) |
| 13(木) | 20(木) |
| 14(金) | 21(金) |
| 15(土) | 22(土) アルバイト |
| 16(日) | 23(日) |

■ ペアで話しましょう。下のポスターを見てください。今度の週末に何をしますか。
クラスメイトを誘って、約束しましょう。

イタリアンレストラン　ナポリ　5月7日(水)OPEN！

ジャズコンサート　11月4日(金)　14:00〜　JAZZ

花火大会　7月28日(土) 18:00〜20:00

キングマン　9:00〜12:00　13:00〜16:00

ポイント　57、58、59、60

# できる！

- 行きたいイベントを探して、友達を誘いましょう。

1 雑誌やインターネットでイベントを調べましょう。
　（日にち、場所、料金など）
2 友達を誘いましょう。
3 友達と相談して、約束しましょう。

## 話 読 聞 書

### 「一緒に！」

皆さんは日本の食べ物で何がいちばん好きですか。私はお好み焼きがいちばん好きです。お好み焼きは日本のピザです。お好み焼きの中に豚肉や卵や野菜があります。お好み焼きのソースは少し甘いです。とてもおいしいですよ。今度、一緒にお好み焼きを食べに行きませんか。

ソース　ピザ　皆さん

- おすすめを教えてください
- 東京でおいしい店はどこですか
- どんな料理ですか

# ことば

## 1 一緒に行きませんか

今週
来週
今月
来月
カラオケ
コンサート
試合
セール
チケット
地図
ドライブ
水着
野球
約束
用事
〜枚
あります[ある]1
　今晩、用事があります。
　横浜で野球の試合があります。
　チケットが2枚あります。
残念(な)
一緒に
いいですね
　A：一緒に映画を見に行きませんか。
　B：いいですね。行きましょう。
ああ
　ああ、日曜日はちょっと……。
すみません
　A：今晩一緒にご飯を食べませんか。
　B：すみません。今晩はちょっと……。
また今度
わあ

## 2 どちらがいいですか

食べ物
飲み物
焼き肉
ラーメン
食べ放題
コース
居酒屋
映画館
地下鉄
歌手
季節
コメディー
ジャズ
ツアー
どちら
どちらも
近い
遠い
早い
広い
いちばん
全部
そうですねえ

## 3 約束

お好み焼き
すき焼き
遊びます[遊ぶ]1
ぜひ
まだ
もう
そうしましょう
わかりました

## もう一度聞こう

アンナ：パクさん。
パク：はい、何ですか。
アンナ：今度の土曜日、時間がありますか。
パク：はい。
アンナ：上野でジャズのコンサートがあります。一緒に行きませんか。
パク：ジャズ！　ぜひ、行きたいです。
アンナ：よかった。
パク：コンサートは何時からですか。
アンナ：午後2時から4時までですよ。
パク：そうですか。じゃ、コンサートの日、一緒に晩ご飯を食べませんか。
アンナ：いいですね。パクさんは日本の食べ物で何がいちばん好きですか。
パク：お好み焼きが好きです。
アンナ：そうですか。上野においしいお好み焼きの店がありますから、
　　　　一緒に行きませんか。
パク：いいですね。何時に会いますか。
アンナ：1時はどうですか。1時に上野駅で。
パク：はい、いいですよ。1時に上野駅ですね。
　　　あ、アンナさん、JRと地下鉄とどちらがいいですか。
アンナ：そうですねえ。JRのほうがいいですよ。
パク：じゃ、JRで行きます。コンサート、楽しみです。
アンナ：そうですね。じゃ、今度の土曜日に。

---

（お）店　楽しみです　よかった

# 第7課
## 友達の家で

### 話してみよう

### 聞いてみよう

# 1 道がわかりません

## チャレンジ！

友達の家へ行く途中で、道に迷いました。
You have become lost while on the way to a friend's home.
去朋友家的路上迷路了。
친구 집에 가는 도중에 길을 잃어버렸습니다.

1

たいよう銀行？

迷子になったとき、行きたい場所がどこにあるか質問したり、
自分がどこにいるか言ったりすることができる。
You can ask for directions when lost, and tell others your present location.
迷路的时候，会询问目的地在哪里，能说出自己在哪里。
길을 잃었을 때, 가고 싶은 장소가 어디에 있는지 질문하거나 자신이 어디에 있는지 말할 수 있다.

道に迷って友達の家に電話しています。
You are calling your friend when you are lost.
给朋友家里打电话。
길을 잃어버려 친구 집에 전화하고 있습니다.

ポイント 61、62

# 言ってみよう

1. 例) A：あのう、すみません。交番はどこにありますか。
   B：あ、交番ですか。あのビルの後ろにありますよ。
   A：ありがとうございます。

   例) 交番
   ① バス停　② 郵便局　③ 銀行　④ レストラン　⑤ 本屋

2. 例) A：もしもし、Bさん、今、どこにいますか。
   B：交番の前にいます。
   A：じゃ、そこへ行きます。

   例) 前　① 中　② 下　③ 外　④ 横

3 例) A：もしもし、Bさん、今、どこにいますか。
　　 B：駅の前にいます。
　　 A：えっ？　近くに何がありますか。
　　 B：大きいスーパーがあります。
　　 A：わかりました。今、迎えに行きます。

## やってみよう

CDを聞いてください。2人はどこで会いますか。

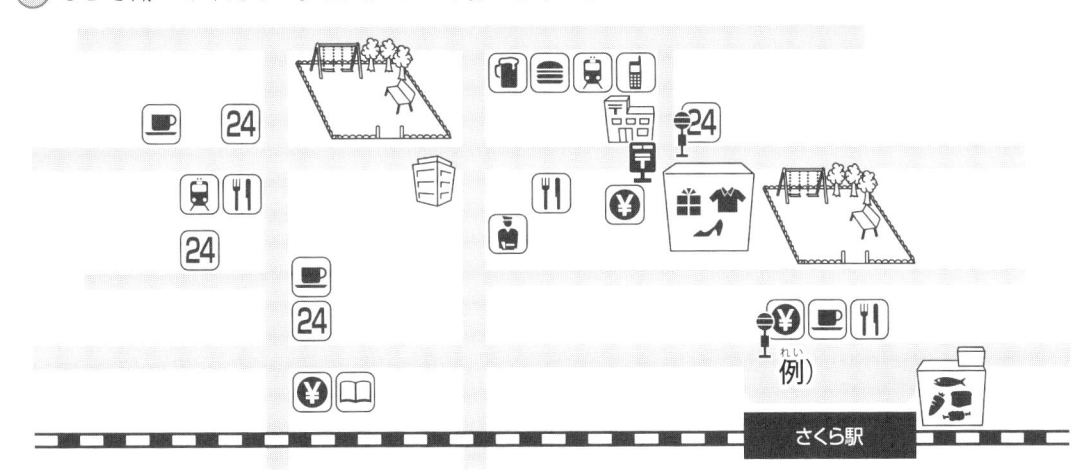

■ ロールプレイをしましょう。

A　Bさんを探しています。Bさんに電話をして、場所を聞いてください。
B　Aさんを待っています。上の地図の中から、あなたがいるところを選んでください。
　　Aさんと電話で話してください。

☞ポイント　61、62

# 2 パーティーの準備

## チャレンジ！  B 21-25

友達の家でパーティーの準備をしています。
You are helping with preparations for a party at a friend's home.
在朋友家里准备开派对。
친구 집에서 파티 준비를 하고 있습니다.

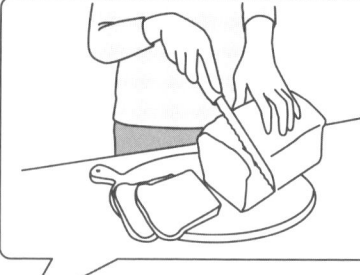

パーティーの準備をしているとき、何か頼んだり指示したりすることができる。
You can make requests and give instructions when preparing for a party.
准备派对的时候，会指示别人做某事。
파티를 준비하고 있을 때, 무언가를 부탁하거나 지시할 수 있다.

3

4

5

ポイント　63、66、69、70、71

## 言ってみよう

1
2

例1） A：Bさん、果物を洗ってください。
　　　B：はい。

例2） A：Bさん、ペンで名前を書いてください。
　　　B：はい。

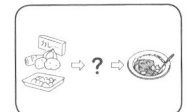

3 例) A：カレーの作り方がわかりません。
　　　　すみませんが、作り方を教えてください。

　　　B：すみません。私もわかりませんから、
　　　　Cさんに聞いてください。

　　　B：いいですよ。

例 カレー・作ります　　① 野菜・切ります
② 電子レンジ・使います　③ スープ・作ります

4 例) A：Bさん、お皿を取ってください。
　　　B：どのお皿ですか。
　　　A：そのお皿です。
　　　B：ああ、これですか。はい。

5 例) A：Bさん、塩を取ってください。
　　 B：塩はどれですか。
　　 A：それです。
　　 B：ああ、これですか。はい、どうぞ。
　　 A：どうも。

## やってみよう  B 26

◎ CDを聞いてください。パーティーの部屋はどれですか。

ⓐ　　　　　　　　　ⓑ　　　　　　　　　ⓒ

■ グループで話しましょう。
　今の部屋の絵を見て、右の例のようにパーティーができるよう準備をしてください。

### 今の部屋

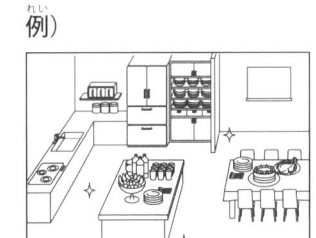

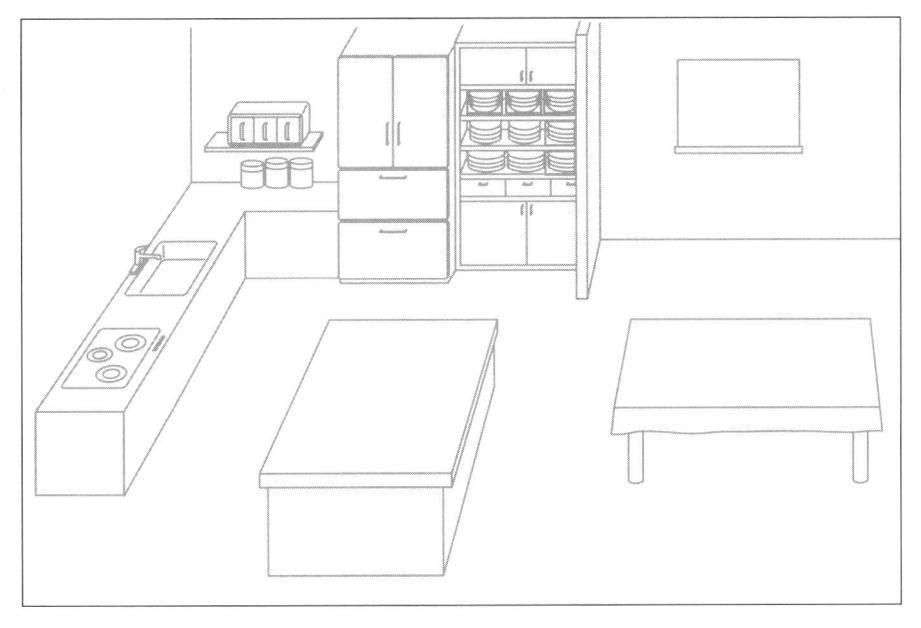

例）

☞ ポイント　63、66、69、70、71

# 3 みんなで楽しいパーティー

## チャレンジ！  B 27-30

友達の家でパーティーをしています。
You are joining in a party at a friend's home.
在朋友家里开派对。
친구 집에서 파티를 하고 있습니다.

1

2

パーティーのとき、自分から手伝いを申し出たり食べ物などをすすめたりすることができる。
You can offer assistance or food to others at a party.
开派对的时候，能主动提出自己来帮忙，给别人推荐食物。
파티 때, 자발적으로 돕겠다고 나서거나 음식 등을 권할 수 있다.

☞ ポイント　64、65、67、68

## 言ってみよう

1  例) A：パクさんはどこにいますか。
　　　B：パクさんは台所でお皿を洗っていますよ。

例) パクさん
① カルロスさん　② アンナさん
③ ワンさん　　　④ ナタポンさん

2  例) A：料理を取りましょうか。
　　　B：あ、ありがとうございます。

3 例) A：わあ、誰が作りましたか。
　　B：ワンさんが作りました。
　　A：へえ。

4 例1) A：サラダはまだありますか。
　　　　B：はい、まだあります。どうぞ。
　　　　A：ありがとうございます。

　　例2) A：ビールはまだありますか。
　　　　B：すみません。もうありません。ワインはどうですか。
　　　　A：いいですね。

## やってみよう  B 31

◎ CDを聞いてください。誰が何をしていますか。

**1** ワン _____　　**2** ダニエル _____　　**3** メアリーとアンナ _____

ⓐ　　ⓑ　　ⓒ　　ⓓ　　ⓔ

■ ペアで話しましょう。下の絵の中の人物になりきって、話しましょう。

☞ ポイント 64、65、67、68

133

# できる！

- クラスメイトと一緒にイベントをしましょう。

    例 ○○さんの誕生日パーティー
    　 ○○クラスの飲み会

    1 イベントの計画を立てましょう。どこで、いつしますか。
    2 招待状を書きましょう。
    3 イベントをしましょう。

    **教室でできる！**

    1 パーティーの計画を立てましょう。どこで、いつしますか。
    2 招待状を書きましょう。
    3 パーティーのシナリオを書きましょう。
        （待ち合わせのシーン、準備のシーン、パーティーのシーン）
    4 みんなの前で発表しましょう。

## 話 読 聞 書

### 「パーティー」

皆さん、来週の日曜日、私の家でパーティーをします。私は国の料理を作ります。一緒に作りませんか。それから、皆さんの国の料理の作り方も教えてください。一緒に作って、食べましょう。おいしいお酒も飲みましょう。私のアパートは駅の近くにあります。コンビニの隣の新しいアパートです。ぜひ、来てください。

アパート

> どこで
> パーティーを
> しますか

> どんな
> パーティーを
> しますか

# ことば

## 1 道がわかりません

改札
木
交番
自動販売機
バス停
ポスト
花
犬
間
上
下
近く
隣
中
外
前
後ろ
横
迎えに行きます[迎えに行く]1
います[いる]2
　私は本屋の中にいます。
もしもし

## 2 パーティーの準備

いす
テーブル
電子レンジ
冷蔵庫
砂糖
塩
しょうゆ
コップ
(お)皿
スプーン
ナイフ
フォーク
はし
漢字
どれ
どの
洗います[洗う]1
置きます[置く]1
書きます[書く]1
貸します[貸す]1
聞きます[聞く]1
　パクさんに電話番号を聞きます。
切ります[切る]1
使います[使う]1
手伝います[手伝う]1
取ります[取る]1
持って行きます[持って行く]1
わかります[わかる]1
出します[出す]1
　冷蔵庫からジュースを出します。
入れます[入れる]2
教えます[教える]2
たくさん
すみませんが
ああ
　ああ、これですね。
いいですよ

## 3 みんなで楽しいパーティー

歌
ギター
台所
たばこ
電話
ピザ
窓
歌います[歌う]1
吸います[吸う]1
話します[話す]1
弾きます[弾く]1
持ちます[持つ]1
開けます[開ける]2
閉めます[閉める]2
かけます[かける]2
　友達に電話をかけます。
持って来ます[持って来る]3

## もう一度聞こう　　B 16

**パクさんの寮で**

ナタポン：パクさん、何を作っていますか。
　　パク：サラダを作っています。
ナタポン：手伝いましょうか。
　　パク：はい、お願いします。じゃ、そのナイフで野菜を切ってください。
ナタポン：えっ？　どのナイフですか。
　　パク：そのナイフです。
ナタポン：はい。わかりました。
　　　　　　　⋮
　　パク：あ、アンナさんだ。
　　　　　もしもし、アンナさん。今、どこにいますか。
　アンナ：ええと、駅の前にいます。近くにコンビニがあります。
　　パク：わかりました。今、そこへ行きます。
　　　　　　　⋮
メアリー：ワンさん、あのう、マルコさんは？
　　ワン：マルコさんは外にいます。外でたばこを吸っていますよ。
メアリー：あ、どうも。マルコさーん、一緒にケーキを食べませんか。
　マルコ：いいですね。このケーキ、おいしいですね。
メアリー：そうですね。おいしいですね。
　マルコ：誰が作りましたか。
メアリー：アンナさんが作りました。
　マルコ：へえ。
　　ワン：メアリーさん、ケーキはまだありますか。
メアリー：はい、まだありますよ。取りましょうか。
　　ワン：あ、ありがとうございます。

---

お願いします

# 第8課
# 大切な人

## 話してみよう

## 聞いてみよう

# 1 家族・友達

## チャレンジ！  B 33-36

学校の帰りに友達と話しています。
You are talking with a friend on the way home from school.
回家途中和朋友说话。
학교에서 돌아오는 길에 친구와 말하고 있습니다.

1

上野
上野

2

妻

家族や友達の人数やどこに住んでいるかなどを話すことができる。
You can talk about the number of your family members and friends, and about where they live.
会介绍家人朋友的人数、居住地等。
가족이나 친구가 몇 명인지, 어디에 살고 있는지 등을 말할 수 있다.

電車の中で友達と話しています。
You are talking with a friend in a train.
在电车中和朋友说话。
전철 안에서 친구와 이야기하고 있습니다.

ポイント　72、73、79、80

## 言ってみよう

1. A：Bさんはどこに住んでいますか。
   B：私は横浜に住んでいます。

2. A：Bさんは誰と住んでいますか。
   B：兄と2人で住んでいます。
   A：そうですか。

3. 例）A：Bさん、兄弟がいますか。
   B：はい、姉が1人います。
   B：いいえ、いません。

   例）兄弟　①ペット　②お子さん

4 例) A：私の姉です。
　　 B：へえ。お姉さんは何をしていますか。
　　 A：姉は会社員です。デパートで働いています。

① 父
② 母　高校
例 姉　デパート
③ 弟　大学生　大学
④ 妹　高校生　高校

## やってみよう　B 37-38

◎ CDを聞いて、質問に答えてください。
　ナタポンさんはどこに住んでいますか。どんなところですか。

■ あなたはどんなところに住んでいますか。クラスメイトと話しましょう。

◎ CDを聞いてください。

1 山口さん ＿＿＿＿＿＿＿＿＿＿＿＿＿＿＿＿＿＿＿＿＿＿＿＿＿
2 メアリーさん ＿＿＿＿＿＿＿＿＿＿＿＿＿＿＿＿＿＿＿＿＿＿

■ 自分の兄弟・家族・友達が住んでいるところや仕事などについてクラスメイトと話しましょう。

☞ポイント　72、73、79、80

# 2 こんな人
ひと

## チャレンジ！  B 39-42

喫茶店で写真を見ながら友達と話しています。
You and a friend are chatting while looking at photos in a coffee shop.
在咖啡馆和朋友边看照片边聊天。
찻집에서 사진을 보면서 친구와 말하고 있습니다.

1

山口さん
ふじみ大学
英語

家族や友達がどんな人か話すことができる。
You can talk about the attributes of family members and friends.
会介绍家人朋友的简单情况。
가족이나 친구가 어떤 사람인지 말할 수 있다.

2

お兄さん / 兄 / 父

3-1

この人 / 妹

3-2

この人 / イさん 友達 / イさん

☞ ポイント 74、75

# 言ってみよう

1 例) この人はアンナさんです。
   😊   アンナさんはテニスが上手です。

   例 アンナ　　① ダニエル　　② ナタポン　　③ ワン　　④ マルコ

2 例) A：私の父です。
   😊   B：Aさんのお父さんは背が高いですね。

   例 父　① 姉　② 兄　③ 弟　④ 妻

3-1 例) A：この人は誰ですか。
    😊   B：どの人ですか。
         A：この背が高くて、髪が短い人です。
         B：あ、それは私の夫です。
         A：へえ。

   例 夫　① 妹　② 母　③ 父

3 -2 例)
A : この人はアンナさんです。私の友達です。
B : へえ。アンナさんはどんな人ですか。
A : おもしろくて、親切な人です。
B : そうですか。

例 アンナ／友達
おもしろい
親切

① ダニエル／友達
元気
おもしろい

② キム／後輩
まじめ
頭がいい

③ リン／先輩
背が高い
サッカーが上手

# やってみよう

CDを聞いてください。ダニエルさんがいろいろな写真を見せています。

(1) どの写真の話ですか。

1 _____  2 _____  3 _____

(2) もう一度CDを聞いてください。
・ダニエルさんの友達はどんな人ですか。
・ダニエルさんのお姉さんはどんな人ですか。

■ ペアで話しましょう。

A これはあなたの友達の写真です。
クラスメイトに写真を見せて、紹介しましょう。
(　　)にどんな人か考えて書いてください。

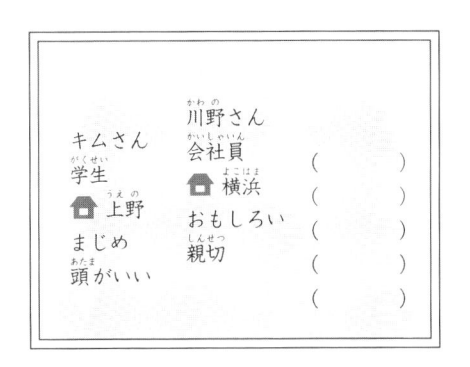

キムさん
学生
🏠 上野
まじめ
頭がいい

川野さん
会社員
🏠 横浜
おもしろい
親切

(　　)
(　　)
(　　)
(　　)
(　　)

B Aさんの写真を見ながら、いろいろ質問してください。

☞ ポイント 74、75

# 3 プレゼント

## チャレンジ！ B 44-46

教室で友達と話しています。
You are talking with friends in the classroom.
在教室和朋友说话。
교실에서 친구와 말하고 있습니다.

1

友達にあげるプレゼントについて相談したり、自分がもらったプレゼントについて話したりすることができる。
You can seek advice on gifts for friends, and talk about gifts you received.
会和别人商量给朋友送什么礼物，谈论自己曾经收到过什么礼物。
친구에게 줄 선물에 대해서 상의하거나 자신이 받은 선물에 대해서 말할 수 있다.

2　誕生日　母

3　2/14　バレンタインデー　？　妻

ポイント　76、77、78

## 言ってみよう

1 例) A：もうすぐ、パクさんの誕生日ですね。
　　　　Bさん、パクさんに何かプレゼントをあげませんか。
　　　B：いいですね。何をあげますか。
　　　A：私は花をあげたいです。
　　　B：いいですね。じゃ、そうしましょう。

例) パクさんの誕生日
① アンナさんの誕生日
② 田中さんの結婚式
③ ジョンさんが国へ帰ります

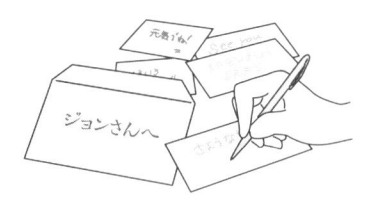

2 例) A：Bさん、そのカメラ、いいですね。
　　　B：あ、ありがとうございます。姉にもらいました。

例) 姉
① パクさん
② 恋人
③ 先輩

3 例) A：誕生日パーティーはどうでしたか。
　　　B：とても楽しかったです。ケーキを食べました。
　　　　 それから、カラオケに行きました。
　　　A：へえ。
　　　B：友達がCDをくれました。
　　　A：そうですか。よかったですね。

例 誕生日パーティー　　① クリスマス　　② バレンタインデー

友達　　父　　恋人

## やってみよう　B 47-48

◎ CDを聞いてください。何をあげますか。

1 _____　　2 _____

■ ロールプレイをしましょう。

A 来週、Cさんの誕生日です。Bさんと2人で一緒にプレゼントをあげたいです。
Cさんの好きな物やほしい物を考えながら、プレゼントを決めてください。
それから、どこで買うか相談してください。

B Aさんと相談して、Cさんの誕生日プレゼントを決めてください。

◎ CDを聞いてください。誰が何をくれましたか。

1 _____ が _____ をくれました。
2 _____ が _____ をくれました。

■ うれしかったプレゼントは何ですか。誰がくれましたか。クラスメイトと話しましょう。

ポイント　76、77、78

# できる！

- 家族・友達はどんな人ですか。どんな思い出がありますか。
クラスメイトと話しましょう。

## 話読聞書

### 「大切な人」

この人は私の友達です。名前は山口春子さんです。山口さんは大学で中国語を勉強しています。毎週日曜日、一緒にテニスをします。山口さんはテニスがとても上手です。テニスの教え方も上手です。山口さんはおもしろくて、優しい人です。山口さんは友達がたくさんいます。

- 大切な人は誰ですか
- どんな人ですか
- 何をしていますか

# ことば

## 1 家族・友達

両親
父
母
兄弟
兄
姉
弟
妹
夫
妻
子ども
息子
娘
お父さん
お母さん
お兄さん
お姉さん
弟さん
妹さん
お子さん
ペット
猫
ピアノ
医者
高校生
大学生
〜人
〜匹
住みます[住む]1
います[いる]2
　私は弟がいます。

## 2 こんな人

ご主人
奥さん
先輩
後輩
うさぎ
体
足
顔
髪
口
鼻
目
耳
頭がいい
かっこいい
かわいい
背が高い
長い
短い
優しい
黒い
白い
茶色い
元気(な)
親切(な)
まじめ(な)
上手(な)
下手(な)

## 3 プレゼント

カード
　友達の誕生日にカードを送ります。
傘
(お)金
靴下
辞書
チョコレート
手紙
ネックレス
ノート
プレゼント
メール
祖母
クリスマス
結婚式
バレンタインデー
何か
送ります[送る]1
もらいます[もらう]1
あげます[あげる]2
くれます[くれる]2
電話・します[電話・する]3
もうすぐ
よかったですね

# もう一度聞こう

### 電車の中で

パク：ナタポンさんはどこに住んでいますか。
ナタポン：三鷹に住んでいます。
パク：へえ。
ナタポン：三鷹はいいところですよ。
パク：そうですか。1人で住んでいますか。
ナタポン：いいえ、友達と2人で住んでいます。
パク：そうですか。
ナタポン：あ、写真があります。……この人です。
パク：へえ、背が高くて、かっこいいですね。
ナタポン：はい。今、大学で経済を勉強しています。
パク：そうですか。……あ、ナタポンさん、この人は誰ですか。
ナタポン：どの人ですか。
パク：この髪が短くて、目が大きい人です。
ナタポン：あ、その人は国の友達です。
パク：その隣の人は？
ナタポン：奥さんです。
パク：えっ！？　この人は結婚していますか。
ナタポン：はい。子どもが2人います。
パク：そうですか。
　　　　　⋮
ナタポン：あ、パクさん、そのかばん、素敵ですね。
パク：これですか。誕生日に母にもらいました。
ナタポン：へえ、いいですね。

---

経済　結婚・します[結婚・する]3　素敵(な)

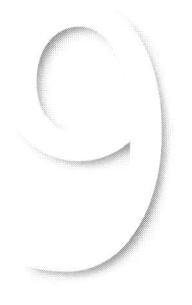

# 第9課

# 好きなこと

## 話してみよう

## 聞いてみよう

# 1 いろいろな趣味(しゅみ)

## チャレンジ！

B 50-54

地域(ちいき)の交流会(こうりゅうかい)で話(はな)しています。
You are talking with others at a community international exchange gathering.
在本地的交流会上说话。
지역 교류회에서 말하고 있습니다.

### 1-1

趣味(しゅみ)？
誰(だれ)？
ピカソ

### 1-2

趣味(しゅみ)？
小説(しょうせつ)

趣味について話したり質問したりすることができる。
You can talk about your interests and ask others about theirs.
会谈论自己或询问对方的兴趣。
취미에 대해서 말하거나 질문할 수 있다.

ポイント 81、84、85、87

# 言ってみよう

**1-1 例)** A：Bさんの趣味は何ですか。
B：映画を見ることです。
A：へえ、どんな映画を見ますか。
B：アクション映画を見ます。
A：そうですか。

例 映画を見ます／アクション映画
① 料理を作ります／イタリア料理
② 写真を撮ります／景色の写真
③ 切手を集めます／花の切手
④ 音楽を聞きます／ポップス

**1-2 例)** A：Bさんの趣味は何ですか。
B：絵を見ることです。特に、花の絵が好きです。
A：そうですか。

例 絵を見ます／花の絵
① スポーツをします／サッカー
② 本を読みます／日本の小説
③ ピアノを弾きます／クラシック
④ 音楽を聞きます／ジャズ

**2**
**3**
A：趣味は何ですか。
B：サッカーをすることです。
A：へえ。

例1) B：公園で友達とよくサッカーをします。
A：そうですか。

例2) B：でも、最近、全然しません。
A：そうですか。

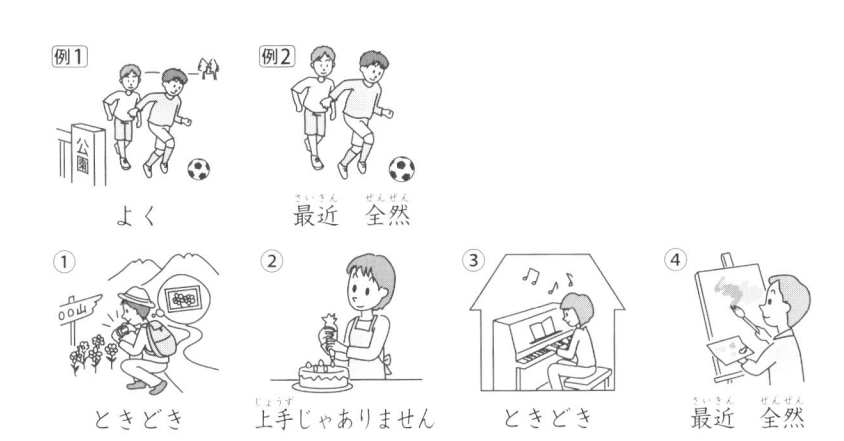

例1 よく
例2 最近　全然
① ときどき
② 上手じゃありません
③ ときどき
④ 最近　全然

4) 例) A：趣味は何ですか。
　　　B：映画を見ることです。
　　　A：よく映画を見ますか。
　　　B：はい、1週間に2回くらい見ます。
　　　A：そうですか。

例) 映画を見ます／1週間・2回くらい
① ゲームをします／1週間・4、5回
② 山に登ります／1か月・3回くらい
③ 本を読みます／1週間・2、3冊
④ インターネットをします／1日・4時間くらい

## やってみよう　B 55

CDを聞いてください。それから書いてください。

| | | 趣味 | 特に | どのくらい |
|---|---|---|---|---|
| 例 | メアリー | 絵を見ること | ピカソの絵 | 1か月に1、2回 |
| 1 | 木村 | | | |
| 2 | パク | | | |
| 3 | カルロス | | | |
| 4 | 山口 | | | |

■ クラスメイトの趣味は何ですか。いろいろ質問して、メモしましょう。
　それから、同じ趣味の人を誘いましょう。

ポイント　81、84、85、87

## 2 できること・できないこと

### チャレンジ！  B 56-57

掲示板を見ながら友達と話しています。
You are talking with a friend while looking at a bulletin board.
看告示栏和朋友说话。
게시판을 보면서 친구와 말하고 있습니다.

料理教室

SKI 北海道スキー旅行 ○月○日〜○日 申し込み：○○○○

スクラブ

ジャズ ピアノ

1-1

1-2

情報をもとに、できることやできないことを話すことができる。
You can state what you can or can't do, based on certain information.
根据信息，会说自己能做的事和不能做的事。
정보를 바탕으로 할 수 있는 것과 할 수 없는 것을 말할 수 있다.

1月のイベント

書道教室
毎週水曜日6時から
場所：公民館2階会議室

ポイント 82

## 言ってみよう

1-1 例) A：いろいろなイベントがありますね。
B：そうですね。あ、私はこのスキー旅行に参加したいです。
A：えっ？ Bさんはスキーができますか。
B：あ、はい。
A：へえ、すごいですね。

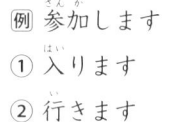

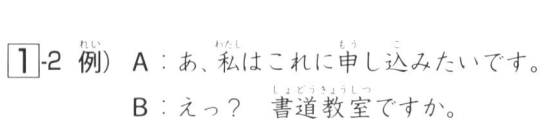

例 参加します
① 入ります
② 行きます
③ 入ります
④ 参加します

1-2 例) A：あ、私はこれに申し込みたいです。
B：えっ？ 書道教室ですか。
A：はい。私は上手に漢字を書くことができませんから、書道を習いたいです。
B：そうですか。

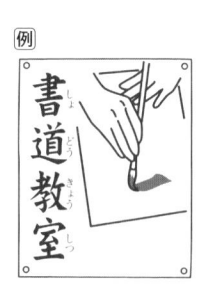

例 上手に漢字を書きます
① ケーキを作ります  ② 日本料理を作ります
③ 上手に英語を話します  ④ 上手にパソコンを使います

## やってみよう　B 58

◎ CDを聞いてください。どこへ行きますか。

1 _____　　2 _____

ⓐ 料理教室　土曜日16:00〜

ⓑ ギター教室　日曜日 午後3時〜

ⓒ COOKING SCHOOL　英語もOK!　水曜日 18:00〜　りょうりきょうしつ

ⓓ 沖縄旅行　8月2日〜5日　ダイビング　沖縄

■ あなたの町にはどんなイベントや教室がありますか。
　どれをしたいですか。どうしてですか。クラスメイトと話しましょう。

☞ ポイント 82

# 3 楽しい週末

## チャレンジ！　　B 59-60

教室で友達と話しています。
You are talking with friends in the classroom.
在教室和朋友说话。
교실에서 친구와 말하고 있습니다.

1

2

休みの日にしたことについて話すことができる。
また、自分が知っていることの手順を説明することができる。
You can talk about what you did on a day off. Also, you can explain the procedures regarding something you are familiar with.
会谈论节假日做了什么事情。会说明自己知道的事情的程序。
쉬는 날에 한 일에 대해서 말할 수 있다. 또한, 자신이 알고 있는 것의 절차를 설명할 수 있다.

ポイント 83、86

# 言ってみよう

1 例) A：週末、何をしましたか。
　　　B：友達と映画を見て、買い物をして、食事しました。
　　　A：へえ、そうですか。

例)

① ⇒ 上野

②

③

2 例) A：Bさん、週末、何をしましたか。
　　　B：コンサートに行きました。
　　　A：いいですね。私もコンサートに行きたいです。
　　　　でも、チケットの買い方がわかりません。
　　　　どうやってチケットを買いますか。
　　　B：インターネットでチケットを予約して、コンビニでお金を払います。
　　　A：そうですか。ありがとうございます。

## やってみよう

CDを聞いてください。どの順番ですか。□に1〜4を書いてください。

1

2

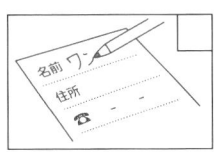

3

■ あなたの好きなことは何ですか。
　イラストや文を書いて、クラスメイトに説明しましょう。
　例）使い方、遊び方、準備、予定、思い出など

☞ ポイント 83、86

# できる！

- 交流イベントに参加しましょう。
  そして、新しい友達を作りましょう。

### 教室でできる！

クラスメイトの趣味について、もっと話を聞きましょう。

1 自分の趣味をカードに書きましょう。
2 カードを見て、話を聞きたい人とペアになりましょう。
3 いろいろ話を聞きましょう。
　（どんな、どうやって、上手にできる方法）

## 話 読 聞 書

### 「私の趣味」

私の趣味はミュージカルを見ることです。1か月に1回くらい、友達と見に行きます。とても楽しいです。特に「キャッツ」が好きです。「キャッツ」は猫の話です。「キャッツ」は歌もダンスもとてもいいです。私はミュージカルのCDを買って、よくうちで聞きます。ときどき、歌も歌います。上手に歌うことができませんが、気持ちがいいです。日本でいろいろなミュージカルを見に行きたいです。

- 趣味は何ですか
- ○○で何/いつ/誰/どこが いちばん〜ですか
- 特に何が好きですか

---

話　ミュージカル

# ことば

## 1 いろいろな趣味

アクション
(お)菓子
切手
クラシック
ポップス
小説
漫画
釣り
ドラマ
プール
最近
〜日
〜週間
〜か月
〜年
〜回
〜冊
〜杯
〜本
〜料理(例：イタリア料理)
泳ぎます[泳ぐ]1
描きます[描く]1
集めます[集める]2
運転・します[運転・する]3
特に
いつも
よく
　私はよく映画を見ます。
ときどき
あまり
　あまりテレビを見ません。
全然

でも
だけ

## 2 できること・できないこと

イベント
コンテスト
書道
ダイビング
ダンス
〜クラブ(例：ダンスクラブ)
〜教室(例：書道教室)
習います[習う]1
乗ります[乗る]1
入ります[入る]1
　ダンスクラブに入ります。
申し込みます[申し込む]1
できます[できる]2
　スキーができます。
参加・します[参加・する]3
すごい
いろいろ(な)
上手に

## 3 楽しい週末

受付
カード
　図書館のカードを作ります。
外国人登録証
住所
宿題
電話番号
〜番

言います[言う]1
払います[払う]1
降ります[降りる]2
見せます[見せる]2
予約・します[予約・する]3
どうやって

## もう一度聞こう　B 49

### 交流会で

木村：はじめまして。

パク：はじめまして。パクです。

木村：木村です。よろしくお願いします。パクさんは学生ですか。

パク：はい。日本語学校で日本語を勉強しています。

木村：へえ。日本語の勉強はどうですか。

パク：少し難しいです。
　　　でも、いろいろな国のクラスメイトと日本語で話しますから、楽しいです。

木村：そうですか。パクさんの趣味は何ですか。

パク：映画を見ることです。特に、アクション映画が好きです。

木村：へえ。

パク：1週間に2、3回、DVDを借りて、映画を見ます。

木村：そうですか。私もときどき家でDVDを見ますよ。

パク：そうですか。最近、何を見ましたか。

木村：「キングマン」を見ました。おもしろかったです。

パク：あっ、私も国で見ました。「キングマンⅡ」もおもしろかったですよ。

木村：そうですか。

パク：あのう、木村さんの趣味は何ですか。

木村：いろいろな国の料理を作ることです。1か月に2回、料理教室に行きます。

パク：へえ、いいですね。私も参加したいです。
　　　上手に料理を作ることができませんから。

木村：そうですか。じゃ、来月、一緒に行きませんか。
　　　来月は日本の料理を作りますよ。

パク：わあ、いいですね。どうやって申し込みますか。

木村：この電話番号に電話して、名前と住所を言ってください。一緒に行きましょう。

パク：ありがとうございます。

---

クラスメイト　楽しみです

# 第10課
# バスツアー

## 話してみよう

## 聞いてみよう

B 62

# 1 集合
しゅうごう

## チャレンジ！  B 63-66

バスツアーの日、集合場所でリーダーが点呼をしています。
The group leader is taking roll call at the meeting place for a bus tour.
乗坐汽车旅游的当天，在集合地点负责人在点名。
버스 투어 당일, 집합 장소에서 리더가 점호를 하고 있습니다.

1

? アンナさん ←

2

集合場所への行き方がわからなくなったとき、友達に電話で聞いて行くことができる。また、出発までの簡単なやり取りをすることできる。
You can call a friend for directions when you can't find a meeting place. Also, you can discuss simple matters before departing.
不知道集合地点的时候，会给朋友打电话询问。
집합 장소에 가는 법을 모를 때, 친구에게 전화로 물어서 갈 수 있다. 또한, 출발할 때까지 간단한 대화를 할 수 있다.

集合場所にまだ来ていない友達に電話しています。
You are phoning a friend who has not arrived at the meeting place yet.
给还没有到达集合地点的人打电话。
집합 장소에 아직 오지 않은 친구에게 전화하고 있습니다.

ポイント 91、92、94、96

# 言ってみよう

1  例) A：もうバスのチケットを買いましたか。
    B：いいえ、まだ買っていません。

    例) バスのチケット・買います
    ① お弁当・買います   ② 薬・飲みます   ③ パクさん・来ます

2  例) A：Bさん、ちょっとジュースを買ってきます。
    B：はい。

    例) ジュース・買います
    ① トイレ・行きます       ② たばこ・吸います
    ③ ワンさん・探します     ④ アンナさん・迎えに行きます

3  例) A：もしもし、Bさん、今、どこにいますか。
    B：ああ、よくわかりません。
    A：そこから何が見えますか。
    B：高いビルが見えます。

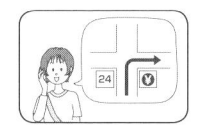

4　例) A：Bさん、行き方がわかりません。教えてください。
　　　　B：はい。そこから何が見えますか。
　　　　A：ええと、大きい橋が見えます。
　　　　B：じゃ、その橋を渡って、左に曲がってください。

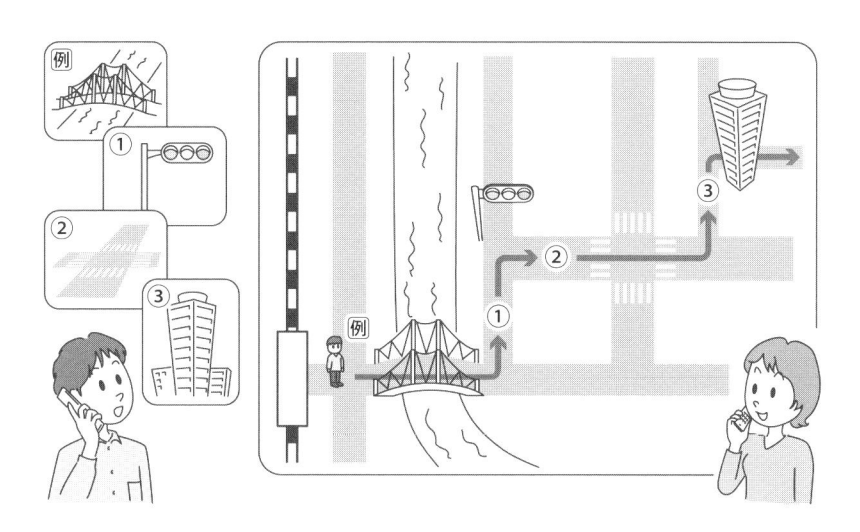

## やってみよう

CDを聞いてください。バスはどこですか。

■ロールプレイをしましょう。

A　上の地図を見て、バスがどこにあるか、自分で決めてください。あなたは今、バスにいます。Bさんはまだ来ていません。Bさんに電話で道を教えてください。

B　あなたは今、駅にいます。バスまでの道がわかりません。Aさんに電話で道を聞いてください。

☞ポイント　91、92、94、96

# 2 いろいろな注意

## チャレンジ！

B 68-71

バスで美術館へ向かっています。
You are on a bus headed for an art museum.
坐公共汽车前往美术馆。
버스로 미술관에 가고 있습니다.

1

2-1

公共の場所での注意を聞き取ったり許可を求めたりすることができる。
You can understand rules/guidance given at a public place, and can ask for permission.
在公共场所能听懂注意事项，会询问能否做某事。
공공장소에서 주의점을 알아듣거나 허가를 구할 수 있다.

美術館にいます。
You are inside the art museum.
在美术馆。
미술관에 있습니다.

2-2

3

ポイント　88、89、97

## 言ってみよう

1 例1) A：隣に座ってもいいですか。
　　　　B：はい、どうぞ。
　例2) A：窓を開けてもいいですか。
　　　　B：すみません。少し寒いですから……。

2-1 例) A：今から美術館へ行きます。
　　　　　皆さん、集合時間に遅れないでください。
　　　　B：はい、わかりました。

例 集合時間に遅れます
① 美術館で写真を撮ります
② 危ないです・前の人を押します
③ このチケットは大切です・なくします
④ 他のお客さんに迷惑です・大きい声で話します

2-2 例) A：窓を開けないでください。
　　　　B：あ、すみません。

3 例) A：ここに荷物を置いてもいいですか。
　　　B：すみません。荷物はあそこに置いてください。

例 A：ここに荷物を置きます　　　B：あそこに置きます
① A：ここでたばこを吸います　　B：喫煙所で吸います
② A：ここでお弁当を食べます　　B：あそこのテーブルで食べます
③ A：ここにごみを捨てます　　　B：うちへ持って帰ります

## やってみよう

CDを聞いてください。女の人はこれから何をしますか。

1 _____　2 _____　3 _____　4 _____

■ ペアで話しましょう。下のイラストの中の人物になりきって、話しましょう。

ポイント　88、89、97

# 3 動物園で

## チャレンジ！  B 73-76

友達と動物園にいます。
You are visiting a zoo with friends.
和朋友在动物园。
친구와 동물원에 있습니다.

1

2-1

周りの状況に応じて行動を提案することができる。
また、施設にどんなサービスがあるか質問することができる。

You can suggest a certain action according to the situation at hand. Also, you can ask what services are available at a facility.
会根据周围的情况提建议。会询问设施能提供什么服务。
주변 상황에 따라서 행동을 제안할 수 있다. 또한, 시설에 어떤 서비스가 있는지 질문할 수 있다.

2 -2

お土産

3

ポイント　90、93、95

179

# 言ってみよう

## 1

例) A：あっ、コアラがえさを食べています。
　　B：本当だ。かわいいですね。

## 2-1

例) A：あのう、ここで観覧車のチケットを買うことができますか。
　　動物園の人：はい。
　　A：じゃ、2枚ください。

例 観覧車のチケットを買います
① ボールを借ります　② 切手を買います　③ 荷物を送ります

## 2-2

例) A：お土産を買いたいです。
　　B：あ、あそこで買うことができますよ。

例 お土産を買いたいです
① 自転車に乗りたいです
② 疲れました
③ おなかがすきました
④ のどがかわきました

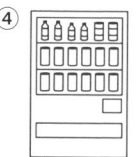

3 例) A：寒くなりましたね。
　　　B：そうですね。あそこの喫茶店でコーヒーを飲みませんか。
　　　A：そうしましょう。

例 A：寒いです　　　　　　B：あそこの喫茶店でコーヒーを飲みます
① A：天気がいいです　　　B：外で写真を撮ります
② A：暗いです　　　　　　B：そろそろ家へ帰ります
③ A：12時です　　　　　　B：そろそろ昼ご飯を食べます

## やってみよう B 77

◎ CDを聞いてください。ⓐ～ⓕのどの2人が話していますか。

1 _____　　2 _____

■ ペアで話しましょう。上のイラストの中の人物になりきって、話しましょう。

☞ ポイント　90、93、95

# できる！

- みんなで旅行の計画を立てて、旅行に行きましょう。

### 教室でできる！

1 グループになって、旅行の計画を立てましょう。
2 登場人物を考えましょう。
3 旅行の1日のシナリオを書きましょう。
4 表情や体の動きも入れながら、シナリオを見ないで言えるように練習しましょう。
5 みんなの前で発表しましょう。

## 話 読 聞 書

### 「好きなところ」

私はお台場が好きです。お台場に温泉や観覧車やショッピングモールなどがあります。温泉の名前は大江戸温泉です。ここで好きな浴衣を着ることができます。大江戸温泉では犬も温泉に入ることができます。観覧車は1人900円です。観覧車からレインボーブリッジや東京タワーが見えます。夜、イルミネーションがとてもきれいです。皆さんも今度の休みにぜひ行ってください。

---

イルミネーション　ショッピングモール　浴衣　着ます[着る]2

- 好きなところを教えてください
- そこに何がありますか
- そこで何ができますか
- どうやって行きますか

# ことば

## 1 集合

音
声
薬
右
左
角
交差点
信号
橋
道
〜つ目
探します[探す] 1
飲みます[飲む] 1
　薬を飲みます。
曲がります[曲がる] 1
渡ります[渡る] 1
聞こえます[聞こえる] 2
見えます[見える] 2
まっすぐ
よく
　よくわかりません。
ちょっと
ええと

## 2 いろいろな注意

カーテン
(お)客(さん)
ごみ
手
荷物
パンフレット
他
皆さん
(お)土産
押します[押す] 1
座ります[座る] 1
立ちます[立つ] 1
なくします[なくす] 1
入ります[入る] 1
　教室に入ります。
持って帰ります[持って帰る] 1
遅れます[遅れる] 2
捨てます[捨てる] 2
集合・します[集合・する] 3
危ない
大切(な)
迷惑(な)

## 3 動物園で

動物園
クマ
コアラ
サル
ゾウ
鳥
パンダ
ペンギン
入り口
出口
えさ
おなか
観覧車
バナナ
ボール
〜たち
歩きます[歩く] 1
飛びます[飛ぶ] 1
なります[なる] 1
休みます[休む] 1
　あそこのベンチで休みましょう。
やります[やる] 1
おなかがすきます[すく] 1
のどがかわきます[かわく] 1
疲れます[疲れる] 2
痛い
暗い
そろそろ
本当だ

## もう一度聞こう

### バスの前で

ダニエル：アンナさんはいますか。
パク：アンナさんはまだ来ていません。アンナさんに電話します。
　　　……あっ、もしもし、アンナさん？　今、どこにいますか。
アンナ：え？　もしもし？　パクさん？　よく聞こえません。
パク：アンナさん、今どこにいますか。
アンナ：あ、私は今、駅の近くにいます。待ち合わせの場所へどうやって行きますか。行き方を教えてください。
パク：前に高いビルが見えますか。
アンナ：はい。
パク：ビルの前の道をまっすぐ行って、左に曲がってください。
アンナ：はい。わかりました。
パク：……あっ、アンナさーん、こっちですよ！
アンナ：あっ、パクさーん。

### 動物園で

動物園の人：ゆっくり前へ行ってください。押さないでくださいね。
アンナ：見てください！　パンダですよ！　パンダがえさを食べています。
パク：かわいいですね。
　　　あ、あそこにゾウがいます。ゾウが水を飲んでいますよ。大きいですね。
アンナ：そうですね。あ、あのう、すみません、ここで写真を撮ってもいいですか。
動物園の人：ええ、いいですよ。
　　　　　…
アンナ：あっ、もうすぐ12時になります。そろそろ昼ご飯を食べましょう。
パク：いいですね。私、飲み物を買ってきます。
アンナ：はい。……あのう、ここでお弁当を食べてもいいですか。
公園の人：あ、すみません、お弁当はあちらで食べてください。
　　　　あちらにテーブルがありますから。芝生の中に入らないでくださいね。
アンナ：はい、わかりました。

---

芝生　場所　待ち合わせ　ゆっくり

# 第11課
# 私の生活

## 話してみよう

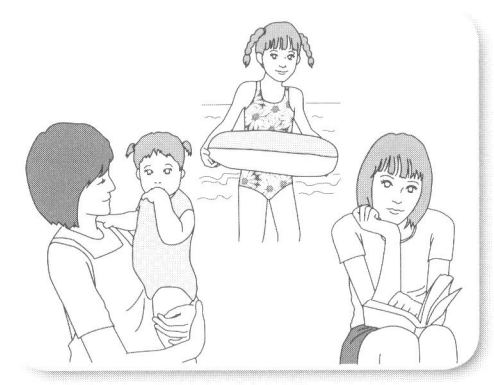

## 聞いてみよう

# 1 今の生活

## チャレンジ！  C 02-06

交流会で知り合った人や友達と居酒屋で話しています。
You are talking with people you met at an international exchange gathering and friends at a pub.
和在交流会上认识的人、朋友在酒馆里说话。
교류회에서 알게 된 사람이나 친구와 술집에서 말하고 있습니다.

1

日本の生活
日本語？

2

学校は？　1時まで
午後？
火曜・木曜

今の生活について話したり質問したりすることができる。
You can talk about your daily life and ask others about theirs.
会谈论自己或询问对方现在的生活情况。
지금의 생활에 대해서 말하거나 질문할 수 있다.

3 休みの日

4 休みの日

5 最近

ポイント　98、99、100、101、102

# 言ってみよう

1 例) A：日本の生活に慣れましたか。
　　 B：ええ。
　　 A：一人暮らしはどうですか。
　　 B：そうですねえ。初めは少し寂しかったですが、今は楽しくなりました。
　　 A：そうですか。

例) 一人暮らしはどうですか
① 日本語の勉強はどうですか
② もういろいろなところへ行きましたか
③ アルバイトは大変ですか

例) 初め、少し寂しかったです・今、楽しくなりました
① 会話が好きです・作文が好きじゃありません
② 近いところへ行きました・遠いところへまだ行っていません
③ 初め、大変でした・今、おもしろくなりました

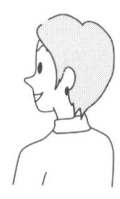

2 例) A：授業は何時に終わりますか。
　　 B：1時に終わります。
　　 A：へえ。それから、いつも何をしていますか。
　　 B：アルバイトをしています。
　　 A：そうですか。

例)
① 
② 
③ たいてい
④ たいてい

3

A: 休みの日、よく何をしていますか。

例1) B: 音楽を聞いたりゲームをしたりしています。
　　　A: そうですか。

例2) B: 公園へ行って、本を読んだり絵を描いたりしています。
　　　A: そうですか。

4 例) A：休みの日、よく何をしますか。
B：そうですねえ。雨のとき、部屋で本を読みます。
A：へえ。

例 雨です

① 天気がいいです
② 暇です
③ 時間があります
④ アルバイトがありません

5 例） A：頭が痛いとき、どうしますか。
　　　 B：薬を飲みます。

例 頭が痛いです
① 眠いです
② アルバイトを休みます
③ 疲れました
④ 風邪をひきました
⑤ 道がわかりません
⑥ 夜、なかなか寝ることが
　 できません

## やってみよう

CDを聞いてください。休みの日や暇なとき、どんなことをしていますか。

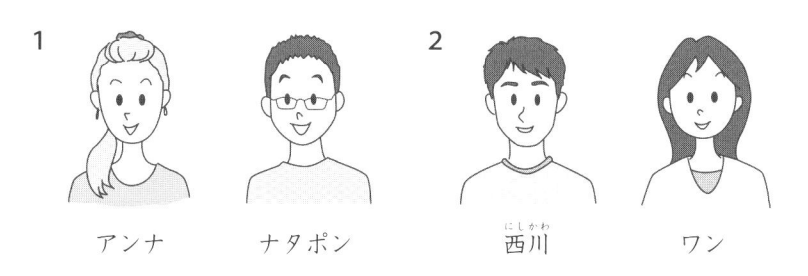

1　アンナ　ナタポン
2　西川　ワン

■ クラスメイトや周りの人(知り合いの日本人、寮の友達など)と生活について話しましょう。
たくさん質問もしましょう。
　例）暇なとき、休みの日、夜……

☞ ポイント　98、99、100、101、102

# 2 今の私・前の私

## チャレンジ！ 〔C 08-09〕

交流会で知り合った人や友達と居酒屋で話しています。
You are talking with people you met at an international exchange gathering and friends at a pub.
和在交流会上认识的人、朋友在酒馆里说话。
교류회에서 알게 된 사람이나 친구와 술집에서 말하고 있습니다.

1-1

今までの自分のことについて簡単に話したり相手に質問したりすることができる。
You can talk about your background in simple terms and ask others about theirs.
会简单地谈论自己或询问对方的经历。
지금까지의 자기 자신에 대해서 간단히 말하거나 상대방에게 질문할 수 있다.

1-2

趣味？

いつ？ 小学生

☞ ポイント 101

# 言ってみよう

**1-1 例)** A：その電子辞書、いいですね。
B：これですか。日本へ来るとき、友達がくれました。
A：へえ。

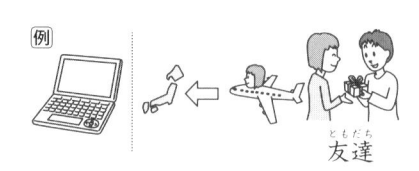

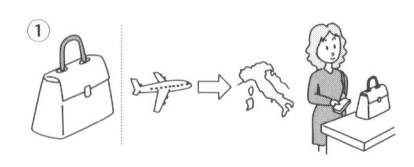

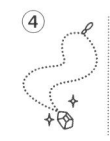

例) 友達
① (かばん／飛行機／イタリア)
② (Tシャツ／PEACE CONCERT)
③ 入学　祖父
④ 卒業　母

**1-2 例)** A：Bさん、いつ水泳を始めましたか。
B：小学生のとき、始めました。
小学生のとき、テレビでオリンピックを見ました。
水泳選手がかっこよかったですから、水泳が好きになりました。
それで、水泳を始めました。
A：へえ。そうですか。

例) 小学生　かっこいい
① 高校生　おもしろい
② 15歳　いい

## やってみよう

C 10

◎ CDを聞いてください。

(1) メアリーさんの部屋で、メアリーさんと山口さんが話しています。
2人はどの写真を見て話していますか。

1 _____　2 _____　3 _____

(2) もう一度CDを聞いて、書いてください。

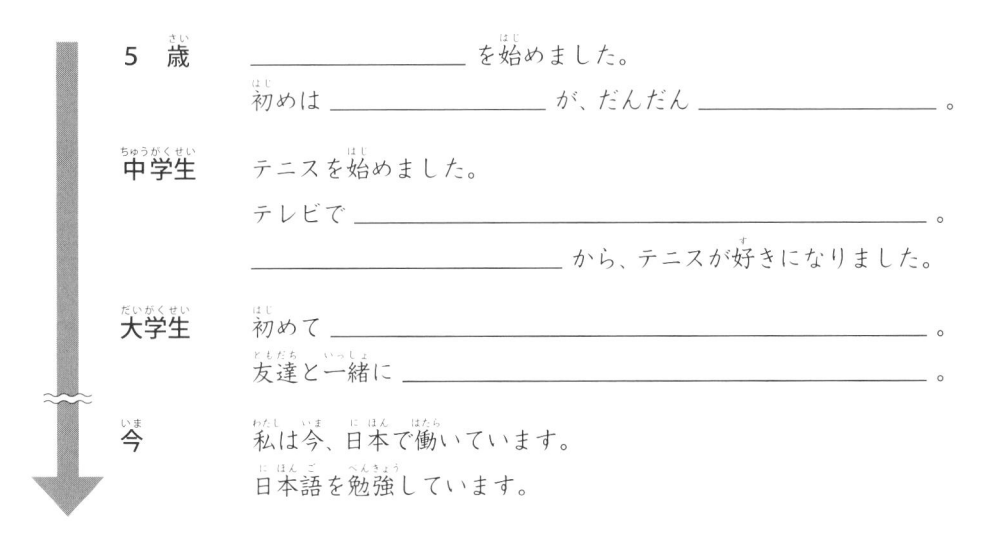

5歳　　　_____ を始めました。
　　　　初めは _____ が、だんだん _____ 。

中学生　テニスを始めました。
　　　　テレビで _____ 。
　　　　_____ から、テニスが好きになりました。

大学生　初めて _____ 。
　　　　友達と一緒に _____ 。

今　　　私は今、日本で働いています。
　　　　日本語を勉強しています。

■「今までの私」の年表を作って、エピソードを話しましょう。

☞ポイント 101

# 3 友達と

## チャレンジ！

教室で友達と話しています。
You are talking with friends in the classroom.
在教室和朋友说话。
교실에서 친구와 말하고 있습니다.

友達と「友達言葉」を使って話すことができる。
You can talk with friends using casual speech.
和朋友会用简体(友達言葉)说话。
친구와「친구간에 쓰는 말」을 사용해 말할 수 있다.

1-5

1-6

# 言ってみよう

**1-1**

例) A：Bさんはよく日本のドラマ(を)見る？

B：うん、見る。

B：ううん、見ない。

例 よく日本のドラマを見ますか
① よくお酒を飲みますか
② よくカラオケに行きますか
③ 毎朝、ご飯を食べますか
④ 毎日、ニュースを見ますか

**1-2**

A：毎日、忙しい？

B：うん、忙しい。

B：ううん、忙しくない。

例 毎日、忙しいですか
① 日本の生活は楽しいですか
② アルバイトは大変ですか
③ 音楽が好きですか
④ 週末、暇ですか

1-3 例) A：週末、何（を）した？
B：ふじまるランド（へ）行った。
A：どうだった？
B：楽しかった。

例 ふじまるランドへ行きました
① 「キングマン」を見ました
② 新しいデパートへ行きました

1-4 例1) A：Bさん、消しゴム（を）貸して。
B：うん、いいよ。
例2) A：Bさん、写真（を）見てもいい？
B：うん、いいよ。

1-5

A：週末、一緒にご飯(を)食べない？

例1) B：いいね。

例2) B：あ、ごめん、アルバイトだから。
　　 A：そっか。じゃ、また今度。

例1 ご飯／○
例2 ご飯／×・アルバイトです
① サッカーの試合／○
② 買い物／×・用事があります
③ 海／×・週末は引っ越しです
④ カラオケ／○

1-6　A：一緒にご飯(を)食べに行かない？
　　　B：いいね。どこ(へ)行く？
　　　A：ララはどう？　高いけど、おいしいよ。
　　　B：いいね。

例　ご飯を食べに行きます
　　ララ／高いです・おいしいです
① 遊びに行きます
　　みどり公園／少し遠いです・きれいです
② 海へ行きます
　　江ノ島／人が多いです・おもしろいです

## やってみよう   C 17

◎ CDを聞いてください。どの順番で話しますか。

_____ ▶ _____ ▶ _____ ▶ _____

ⓐ　　　　　　　　　　ⓑ

ⓒ　　　　　　　　　　ⓓ

■ ロールプレイをしましょう。

A 友達のBさんのうちへ遊びに行きました。
　Bさんのうちで趣味や休みの日、アルバイト、学校などについて話してください。

B 友達のAさんがあなたのうちへ遊びに来ました。
　Aさんの話をいろいろ聞いて、Aさんを誘ってください。

☞ポイント 103

# ■■ できる！

- 教室に日本人の大学生や高校生を呼んで、日常生活について話しましょう。

1 グループになって、どんなことを聞きたいか、質問を考えましょう。
2 日本人と話しましょう。
3 話したことをクラスで発表しましょう。

## 話 読 聞 書

### 「今の生活」

私は4月に日本へ来ました。初めは少し大変でしたが、今は日本の生活に慣れました。平日は、学校で勉強しています。休みの日は、友達と食事をしたり有名なところへ遊びに行ったりしています。1週間に2回、レストランでアルバイトをしています。毎日忙しいですが、楽しいです。これから、日本でもっといろいろなことをしたいです。

---

これから

> もう日本の生活に慣れましたか

> 今の生活は楽しいですか

> 休みの日に、よく何をしますか

# ことば

## 1 今の生活

頭
会話
作文
クラスメイト
雑誌
ジョギング
生活
店長
日記
初め
一人暮らし
ひらがな
平日
毎週
終わります[終わる]1
通います[通う]1
ひきます[ひく]1
休みます[休む]1
　学校を休みます。
慣れます[慣れる]2
忘れます[忘れる]2
散歩・します[散歩・する]3
寂しい
眠い
たいてい
なかなか
ええ

## 2 今の私・前の私

オリンピック
外国
小学生
中学生
選手
祖父
始めます[始める]2
別れます[別れる]2
卒業・します[卒業・する]3
入学・します[入学・する]3
だんだん
初めて
それで

## 3 友達と

エアコン
ニュース
消します[消す]1
つけます[つける]2
引っ越し・します
　[引っ越し・する]3
うん
ううん
ごめん
そっか
また

## もう一度聞こう

### 居酒屋で

西川：パクさん、こんばんは。
パク：西川さん、こんばんは。
　　　こちらはナタポンさんです。
ナタポン：はじめまして。ナタポンです。
西川：はじめまして。
　　　よろしくお願いします。
　　　ナタポンさん、日本の生活は
　　　どうですか。
ナタポン：初めは寂しかったですが、
　　　　　今は楽しいです。
西川：そうですか。日本語の勉強は
　　　どうですか。
ナタポン：少し難しいですが、
　　　　　おもしろいです。週末、
　　　　　クラスメイトと一緒に図書館で
　　　　　勉強しています。
西川：そうですか。
　　　……
アンナ：お待たせ。
パク：あ、アンナさん。遅かったね。
アンナ：ごめん。アルバイトがあったから。
パク：そっか。大変だったね。
アンナ：うん。あ、西川さん、こんばんは。
西川：こんばんは。
アンナ：ああ、おなかすいたー。
パク：アンナさん、何食べたい？

アンナ：メニュー見せて。
パク：はい。
アンナ：じゃ、これとこれ。あ、ビールも。
パク：すみませーん。
　　　注文お願いします。
店員：はーい。
　　　……
みんな：乾杯！
アンナ：西川さんは、休みの日、
　　　　何をしますか。
西川：そうですねえ。
　　　天気がいいとき、公園へ
　　　サッカーをしに行きます。
ナタポン：西川さんは、いつサッカーを
　　　　　始めましたか。
西川：小学生のとき、始めました。
　　　小学生のとき、テレビで
　　　ワールドカップを見ました。
　　　とてもおもしろかったですから、
　　　サッカーが好きになりました。
ナタポン：そうですか。
西川：今度の日曜日、試合があります。
パク：じゃ、みんなで試合を見に
　　　行きましょう。

---

乾杯　ワールドカップ　お待たせ(しました)

# 第12課
# 病気・けが

## 話してみよう

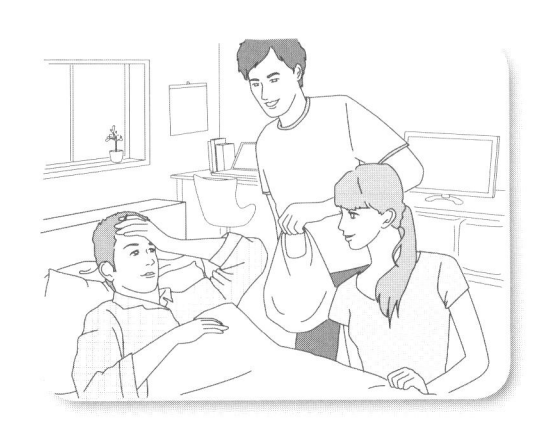

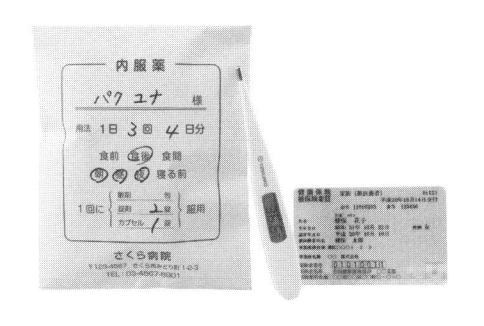

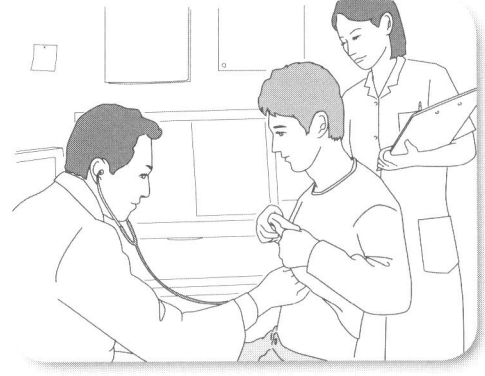

## 聞いてみよう

# 1 体の調子

## チャレンジ！

休み時間に教室で話しています。
You are talking in the classroom during a break.
休息时间和同学说话。
쉬는 시간에 교실에서 말하고 있습니다.

1-1

1-2

体調が悪くなったとき、症状を簡単に話して早退を申し出たり欠席の理由を言ったりすることができる。
You can simply describe your symptoms when you feel ill, and say that you will leave early or will be absent because of your condition.
身体不舒服的时候，会简单地叙述症状、要求早退并说明理由。
몸 상태가 좋지 않을 때, 증상을 간단히 말하고 조퇴를 신청하거나 결석의 이유를 말할 수 있다.

次の日、アルバイトの店で話しています。
You are talking at your part-time job on the following day.
第二天，在打工的店里说话。
다음날, 아르바이트하는 가게에서 말하고 있습니다.

1-3

ポイント 104

# 言ってみよう

1-1 例) A：どうしたんですか。
　　　　B：歯が痛いんです。
　　　　A：大丈夫ですか。

1-2 例) A：あのう、先生、早く帰ってもいいですか。
　　　　先生：どうしたんですか。
　　　　A：頭が痛いんです。
　　　　先生：それはいけませんね。お大事に。

例) 早く帰ります／頭が痛いです
① 病院へ行ってきます／のどが痛いです
② 明日のテストを休みます／体の調子がよくないです

1-3 例) A：Bさん、昨日、どうしたんですか。飲み会に来ませんでしたね。
　　　　B：風邪をひいたんです。
　　　　A：えっ？　大丈夫ですか。
　　　　B：はい。おかげさまで、もう治りました。
　　　　A：そうですか。よかったですね。

# やってみよう  C 22

◎ CDを聞いて、書いてください。

| | 体の調子が悪い人 | | 友達は何をしますか |
|---|---|---|---|
| 例 | ワン | 熱があります | マルコ | 一緒に病院へ行きます |
| 1 | アンナ | | ダニエル | |
| 2 | カルロス | | パク | |

■ 絵を見て、ペアで話しましょう。

▶ 次の日

☞ ポイント 104

# 2 アドバイス

## チャレンジ！

教室で元気がない友達に話しかけています。
You are talking to a dispirited classmate in the classroom.
在教室和气色不太好的同学说话。
교실에서 기운이 없는 친구에게 말 걸고 있습니다.

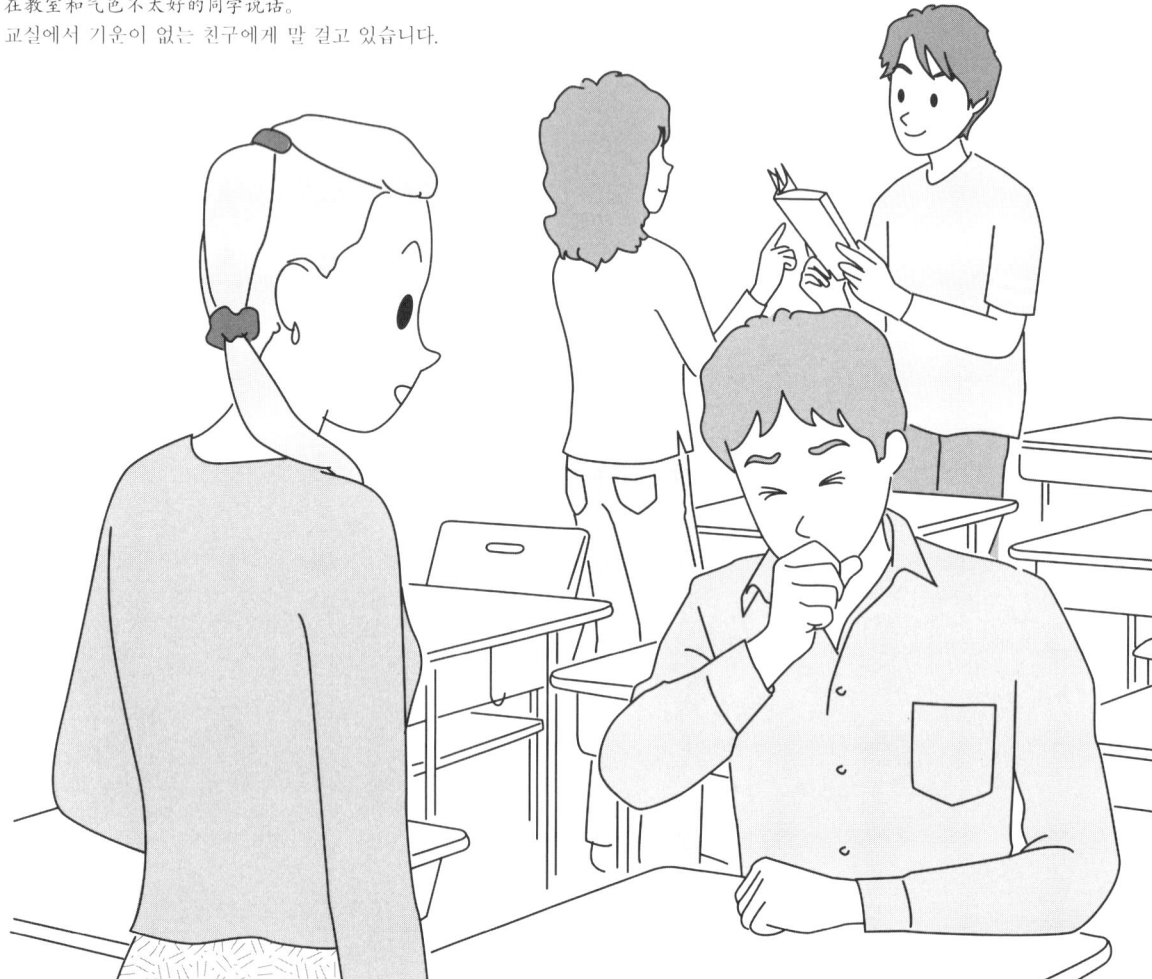

1-1

体調がよくない友達にアドバイスをすることができる。
You can give advice to friends who don't feel well.
会对身体不舒服的朋友提建议。
몸 상태가 좋지 않은 친구에게 조언할 수 있다.

1-2

最近

体にいいこと　毎朝

ポイント 105

# 言ってみよう

**1-1 例)** A：どうしたんですか。
B：昨日からおなかが痛いんです。
A：大丈夫ですか。
今日はあまり冷たいものを食べないほうがいいですよ。
B：はい。

例) 昨日から / 今日はあまり冷たいものを食べません

① 朝から / 歯医者へ行きます

② 今朝 / 薬を塗ります

③ おとといから / できるだけ声を出しません

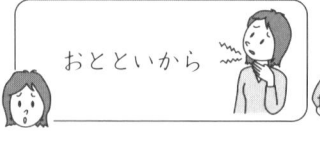

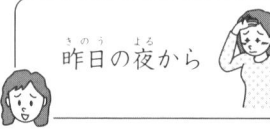

④ 昨日の夜から / うちでゆっくり休みます

**1-2 例)** A：Bさん、どうしたんですか。
B：最近、あまり体の調子がよくないんです。
Aさんは何か体にいいことをしていますか。
A：そうですねえ。私は毎日運動をしています。
Bさんは毎日運動をしていますか。
B：私は全然していません。
A：そうですか。体にいいですから、
できるだけ運動をしたほうがいいですよ。
B：はい、わかりました。

例

① ② 8時間以上 ③

## やってみよう　C 25

◎ CDを聞いてください。友達はどんなアドバイスをしていますか。

1 ワンさんのアドバイス _____　　2 パクさんのアドバイス _____

ⓐ 病院へ行く　ⓑ たくさん寝る　ⓒ たばこを吸わない　ⓓ 運動をする

■ クラスメイトの「健康チェック」をしましょう。
　それから、「いいえ」の答えが3つ以上の人にアドバイスをしましょう。

_____ さんの健康チェック

| 質問 | はい | いいえ |
|---|---|---|
| 毎日、運動をしていますか | | |
| 1日に30分以上歩いていますか | | |
| 食欲がありますか | | |
| 1日に3回、食事をしていますか | | |
| 自分で料理を作っていますか | | |
| 果物を食べていますか | | |
| 8時間以上寝ていますか | | |
| 楽しいことをしていますか | | |

☞ポイント 105

# 3 病院で

## チャレンジ！  C 26-29

病院で話しています。
You are talking at a hospital.
在医院说话。
병원에서 말하고 있습니다.

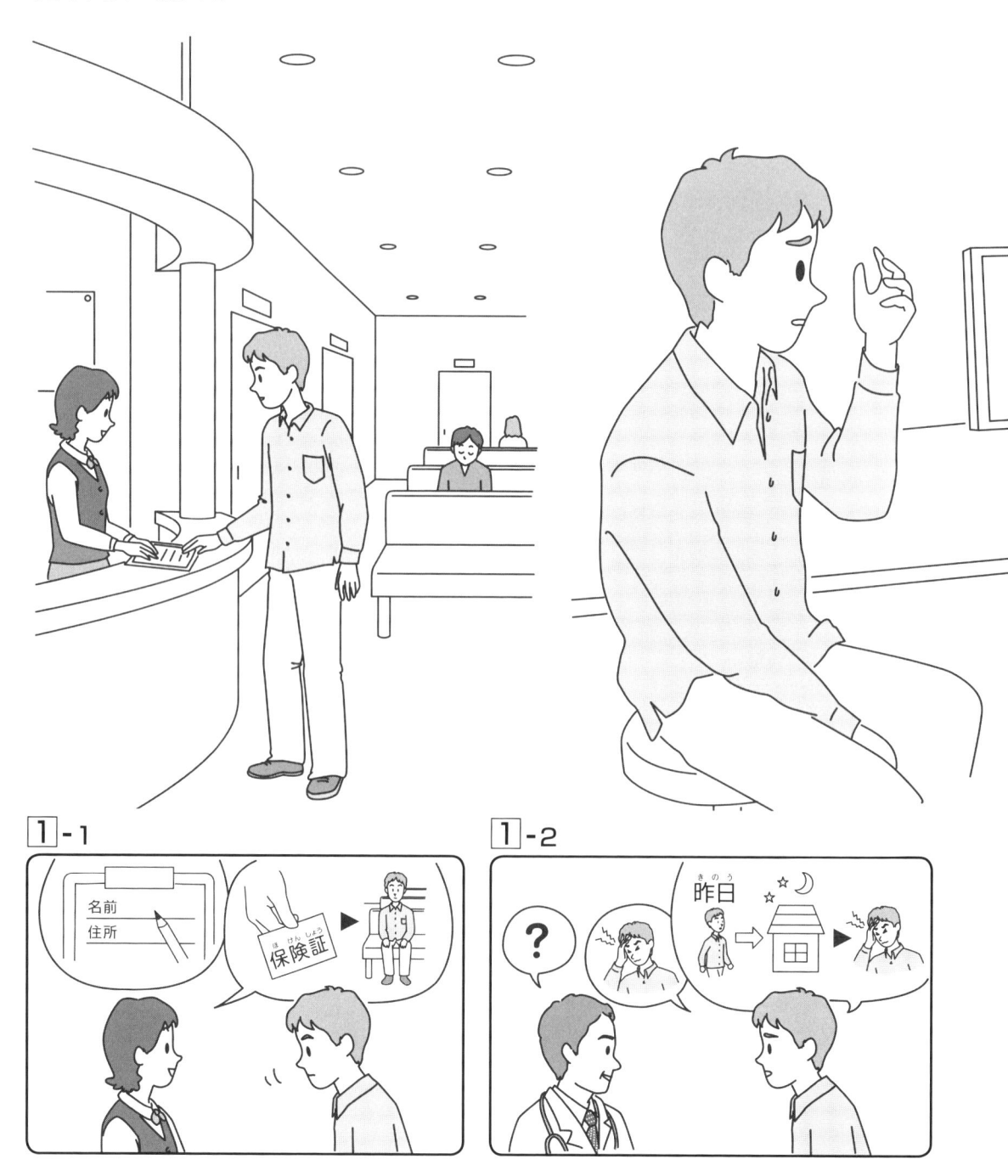

1-1

1-2

病院で簡単に症状を話したり医者の指示を聞いたりすることができる。
You can simply describe you symptoms and ask the doctor for advice at the hospital.
在医院里会简单叙述症状，听懂医生的指示。
병원에서 간단히 증상을 말하거나 의사의 지시를 듣고 이해할 수 있다.

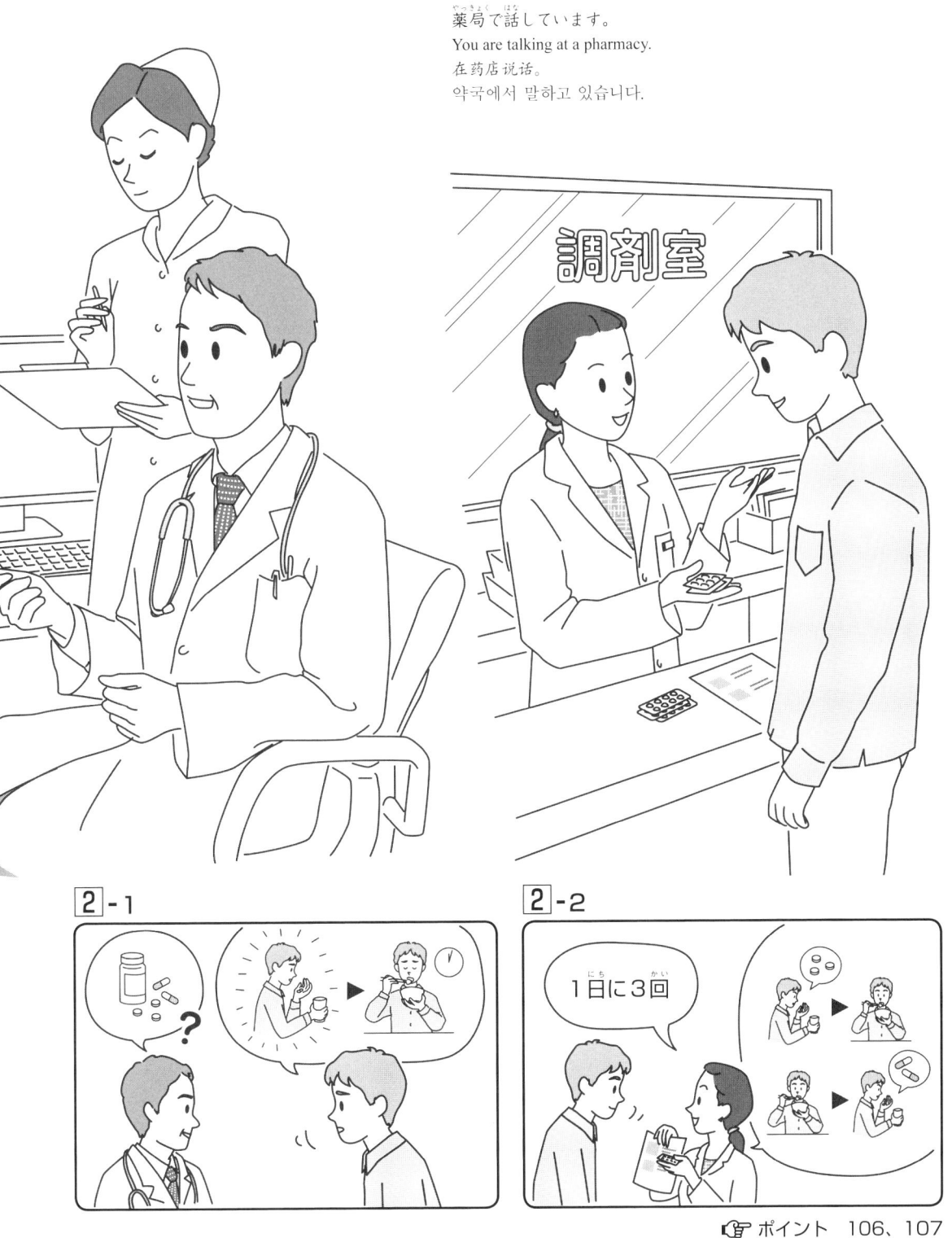

薬局で話しています。
You are talking at a pharmacy.
在药店说话。
약국에서 말하고 있습니다.

調剤室

2-1

2-2

1日に3回

☞ ポイント 106、107

# 言ってみよう

**1-1 例）** 病院の人：靴を脱いでから、入ってください。
　　　　　A：はい。

**1-2 例）** 医者：どうしましたか。
　　　　　A：おなかがとても痛いんです。
　　　　　医者：いつからですか。
　　　　　A：昨日、晩ご飯を食べてから、痛くなりました。

例) 昨日

① おとといの夜　　② 昨日　　③ 昨日

**2-1 例）** 医者：何か薬を飲みましたか。
　　　　　A：はい、昼ご飯を食べる前に飲みました。

例) 昼ご飯を食べます
① 病院へ来ます　　② 昨日、寝ます　　③ 朝ご飯　　④ 1時間

2-2 例) 薬剤師：この薬を飲む前に、よく説明書を読んでください。
　　　　　A：はい、わかりました。

例 この薬を飲みます・よく説明書を読みます
① ご飯を食べます・この薬を飲みます
② 寝ます・この薬を塗ります
③ 食事・30分・この薬を飲みます

## やってみよう

◎ CDを聞いてください。1、2の人が病院で話しています。医者に何と言いますか。

(1) CDを聞いてください。1、2の人はいつから調子が悪いですか。
　　何か薬を飲みましたか。
(2) もう一度CDを聞いてください。いつ薬を飲みますか。

■ 絵を見て、ペアで話しましょう。

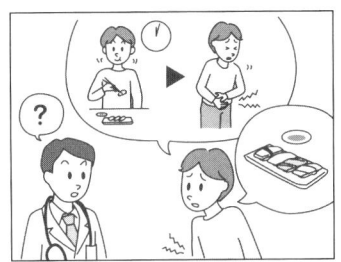

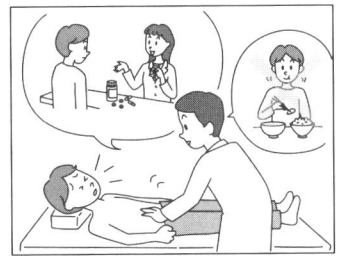

☞ ポイント 106、107

# できる！

- 病気になったとき、友達や医者とどんな話をしますか。

1. 3人グループになって、「病気の人」「病気の人の友達」「医者」になる人を決めてください。
2. 「病気の人」と「病気の人の友達」が話してください。
3. 「病気の人」と「医者」が話してください。（医者は下のカードを見ながら、話してください。）

### 患者に聞くこと

- 熱があります
- のど／頭／おなかが痛いです
- 気持ちが悪いです
- 食欲がありません
- せき／鼻水が出ます
- アレルギーがあります
- よく寝ます
- 1日に3回食事します
- お酒を飲みます
- たばこを吸います
- 最近ストレスがあります

### 患者に言うこと　※自由に選んで言ってください。

- 早く寝ます
- ゆっくり休みます
- 1日に3回食事をします
- 1日に ____ 回薬を飲みます（____ 前に・____ てから）
- よく手を洗って、うがいをします
- よく目を洗います
- 出かけるとき、マスクをします
- 柔らかいものを食べます
- お酒を飲みません
- たばこを吸いません
- シャワーを浴びません
- 冷たいものを飲んだり、食べたりしません

## 話 読 聞 書

### 「体にいいこと」

皆さんは体にいいことをしていますか。私は毎朝、ご飯を食べる前に、野菜ジュースを作って、飲んでいます。作り方は簡単です。野菜を切って、ジューサーに入れます。材料はニンジンやキャベツ、トマトなどです。果物も少し入れたほうがいいです。皆さんもこのジュースを飲んで、元気になりましょう。

> 何か体にいいことをしていますか
>
> どのくらいしていますか
>
> どうやってしていますか

---

材料　ジューサー　キャベツ　トマト　ニンジン

## ことば

### 1 体の調子

けが
食欲
調子
熱
病気
のど
歯
飲み会
〜度
治ります[治る]1
悪い
気持ちが悪い
大丈夫(な)
早く
おかげさまで
お大事に
それはいけませんね

### 2 アドバイス

シャワー
睡眠
歯医者
やけど
こと
もの
以上
出します[出す]1
　声を出します。
塗ります[塗る]1
浴びます[浴びる]2
出かけます[出かける]2
運動・します[運動・する]3
固い
柔らかい
体にいい
自分で
できるだけ
ゆっくり
　ゆっくり休んでください。

### 3 病院で

薬剤師
上着
コンタクトレンズ
説明書
(お)風呂
保険証
待合室
薬局
出します[出す]1
　保険証を出してください。
脱ぎます[脱ぐ]1
走ります[走る]1
待ちます[待つ]1
磨きます[磨く]1
横になります[横になる]1
準備・します[準備・する]3
かゆい

# もう一度聞こう

## 学校で

ダニエル：パクさん、どうしたんですか。
　　　　　顔が赤いですよ。
　パク　：昨日から熱があるんです。
　　　　　のども痛いんです。
ダニエル：そうですか。
　　　　　病院へ行きましたか。
　パク　：いいえ。
ダニエル：えっ！　早く行ったほうが
　　　　　いいですよ。
　パク　：そうですね。
　　　　　今日、アルバイトが
　　　　　終わってから、病院へ行きます。

## 病院で

受付の人：パクさーん。パク・ユナさーん。
　　　　　こちらに入ってください。
　パク　：はい。
　医者　：どうしましたか。
　パク　：昨日から熱があるんです。
　　　　　のども痛いんです。
　医者　：何度ですか。
　パク　：38度です。
　医者　：高いですね。ちょっと口を
　　　　　開けてください。……ああ、
　　　　　風邪ですね。薬を飲んで、
　　　　　ゆっくり休んでください。
　パク　：あのう、先生、明日は出かけても
　　　　　いいですか。
　医者　：そうですね。出かけてもいいですが、
　　　　　人が多いところは行かないで
　　　　　ください。
　パク　：はい。
　医者　：処方箋を出しますから、薬局へ
　　　　　行って、薬をもらってください。
　パク　：はい、わかりました。
　　　　　ありがとうございました。
　医者　：お大事に。

## 薬局で

薬剤師：パクさーん。薬は1日に3回、飲んでください。この赤い薬はご飯を食べる前に、
　　　　こちらの薬はご飯を食べてから、飲んでください。
　パク　：はい、わかりました。
薬剤師：お大事に。

---

処方箋　赤い

# 第13課
## 私のおすすめ

## 話してみよう

## 聞いてみよう

# 1 経験から

## チャレンジ！  C 32-34

交流会で知り合った日本人と話しています。
You are talking with a Japanese person you met at an international exchange gathering.
和在交流会上认识的日本人说话。
교류회에서 알게 된 일본인과 말하고 있습니다.

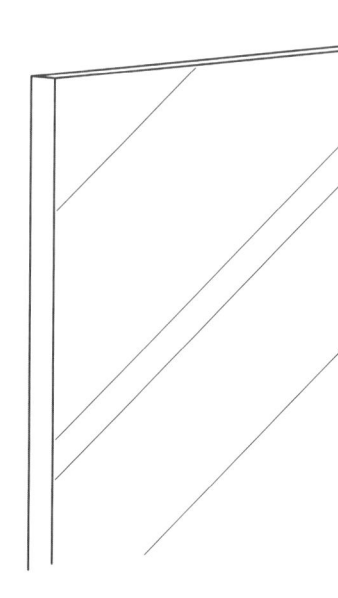

### 1
来月　両親　→　相撲
インターネット　？

### 2
相撲　▶　浅草　／　浅草（食事）？

### 3
すみだ

友達の経験から自分が知りたい情報を得たり、自分の経験を友達に話したりすることができる。
You can obtain information on things you want to know from the experiences of friends, and can tell friends about your experiences.
从朋友的经历中获得自己需要的信息，讲述自己的经历。
친구의 경험에서 자신이 알고 싶은 정보를 얻거나 자신의 경험을 친구에게 말할 수 있다.

☞ ポイント 108、111、112

# 言ってみよう

1 例) A：来月、国から両親が来ますから、沖縄へ行きたいです。
　　　　Bさんは沖縄へ行ったことがありますか。
　　　B：はい、あります。先月、行きました。
　　　A：そうですか。いいですね。
　　　　飛行機のチケットはいくらでしたか。
　　　B：5万円くらいでした。
　　　A：そうですか。

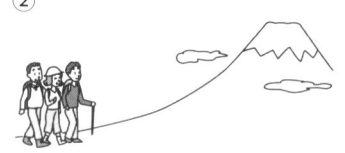

例) 沖縄
① ふじまるランド
②
③
④ 京都

2  例) A：家族と京都へ旅行に行きます。
3 　　　　Bさんはおいしいレストランを知っていますか。
　　　B：ええ、北山というレストランがいいですよ。
　　　A：そうですか。ありがとうございます。

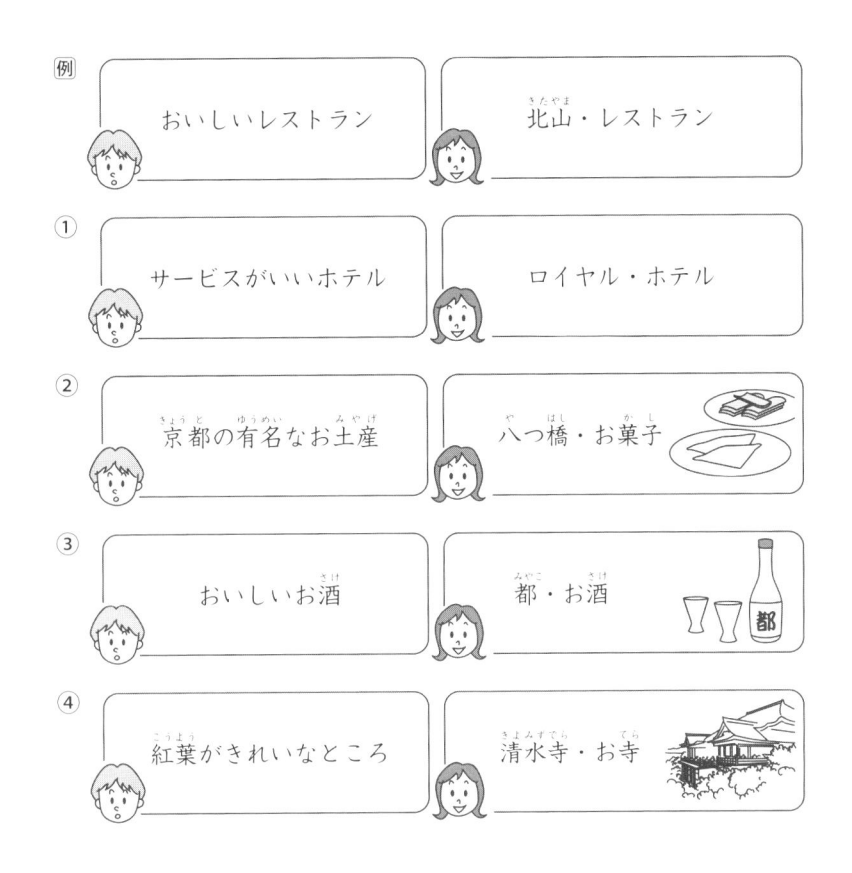

例　おいしいレストラン　／　北山・レストラン

① サービスがいいホテル　／　ロイヤル・ホテル

② 京都の有名なお土産　／　八つ橋・お菓子

③ おいしいお酒　／　都・お酒

④ 紅葉がきれいなところ　／　清水寺・お寺

## やってみよう　C 35

◎ CDを聞いてください。

(1) おすすめのものは何ですか。

1 ＿＿＿＿＿＿＿＿＿＿　　2 ＿＿＿＿＿＿＿＿＿＿

(2) もう一度CDを聞いてください。知りたい情報をもらうために、どんな質問をしていますか。

■ ⓐ～ⓔのとき、何をしたらいいか、どこへ行ったらいいかなどをクラスメイトに質問して、情報をもらいましょう。

ⓐ 両親が来ます
ⓑ デートをします
ⓒ ゆっくり休みます
ⓓ 国へ帰りますから、お土産を買います
ⓔ 夏休み／冬休みに旅行に行きます

☞ポイント　108、111、112

# 2 おすすめします

## チャレンジ！

寮で雑誌やテレビを見ながら、友達と話しています。
You are talking with a friend while looking at magazine or watching TV at the dormitory.
在宿舎边看杂志、电视边和朋友说话。
기숙사에서 잡지나 텔레비전을 보면서 친구와 말하고 있습니다.

1

サンサン ?

若い人 ⇒ サンサン

一緒に

おすすめの物、場所、人について話すことができる。
You can discuss recommendations about things, places, and people.
会向别人介绍自己认为好的东西、地方、人。
추천할만한 것, 장소, 사람에 대해서 말할 수 있다.

2

木村ユウト
かっこいい

ポイント　109、110

# 言ってみよう

1 例） A：もみじ屋を知っていますか。
　　　 B：もみじや？
　　　 A：もみじ屋は新鮮な魚料理を食べることができる居酒屋ですよ。
　　　 B：へえ。
　　　 A：おいしくて、安いですよ。
　　　 B：そうですか。

例）居酒屋　新鮮な魚料理　もみじ屋
① かわいい服がたくさん♪　キャンデイ
② 電気製品が安い！　サカイ電器
③ 日本一長い!!　ジェットコースター　ふきランド

2 例） A：あっ、山下ショウ！
　　　 B：やましたしょう？　どの人ですか。
　　　 A：あの人です。白いシャツを着ている人です。
　　　 B：Aさんは山下ショウが好きですか。
　　　 A：はい、とても好きです。

例）山下ショウ
① 中井ごろう　② 田中レイ
③ 木村あや　　④ 松田ジュン

## やってみよう  C 38

◎ CDを聞いて、書いてください。

1 西川さんのおすすめの店：サカイ電器

どこかいい店を知っていますか

サカイ電器は
＿＿＿＿＿＿＿電気製品を
＿＿＿＿＿＿＿店です。
お店の人は＿＿＿＿＿＿＿です。

2 パクさんのおすすめの歌手：田中愛

田中愛はどの人ですか

田中愛は
＿＿＿＿＿＿＿人です。

■ あなたのおすすめの場所や好きな有名人をクラスメイトに紹介しましょう。

☞ ポイント 109、110

# 3 教えてください

## チャレンジ！

インターネットで場所を探しています。
You are looking up places on the Internet.
在网上搜索地点。
인터넷으로 장소를 찾고 있습니다.

東京の公園
バーベキューができる!

1

公園
いい公園
みどり公園　5分　駅

自分が知りたい情報を得るために、質問することができる。
You can ask questions to obtain information on things you want to know.
会向别人询问一些问题，来获取自己需要的信息。
자기가 알고 싶은 정보를 얻기 위해서 질문할 수 있다.

友達に店を教えてもらっています。
You are asking a friend about a shop.
向朋友请教店的地点。
친구가 가게를 가르쳐 줍니다.

ポイント 109

## 言ってみよう

1 例) A：Bさん、何をしていますか。
　　B：みんなで飲み会をするお店を探しています。
　　　 どこかいいお店を知っていますか。
　　A：そうですねえ。わいわいはどうですか。
　　　 料理がおいしいですよ。
　　B：へえ、そうですか。どこにありますか。
　　A：新宿にありますよ。

例) わいわい／料理がおいしいです

① オレンジ／いろいろなケーキや飲み物などがあります

② エトス／安い浴衣がたくさんあります

③ ロマン／お菓子の作り方の本も売っています

④ みどり公園／とても広いです

⑤ わたなべ音楽教室／駅から近いです

2 例） A：来月、クラスメイトとパーティーをします。
　　　B：そうですか。いいですね。
　　　A：Bさん、パーティーでよくするゲームは何ですか。
　　　B：そうですねえ。しりとりをよくします。
　　　A：しりとり？
　　　B：はい。簡単で、おもしろいゲームですよ。

例）ゲーム　　しりとりをよくします／簡単で、おもしろいゲームです

① 歌　　「ひまわり」をよく歌います／楽しい歌です

② 料理　　お好み焼きをよく作ります／簡単で、おいしい料理です

## やってみよう

◎ CDを聞いて、書いてください。

1　どこですか _____
　　どうしてですか _____
2　どこですか _____
　　どうしてですか _____

■ ロールプレイをしましょう。

A クラスメイトと[飲み会・バーベキュー・お花見]をします。あなたはリーダーになりました。Bさんからいろいろ情報を聞いてください。

B Aさんの質問に答えてください。

## できる！

● おすすめの情報や生活に役立つ情報を調べましょう。
アンケートを作って、いろいろな人に聞きましょう。
それから、アンケートをまとめて、発表しましょう。

1　グループになって、テーマを決めましょう。
　　例 おすすめの○○、好きな○○など
2　アンケート用紙を作りましょう。
　　・質問を考えましょう。
　　・質問の順番を考えましょう。
　　・答えの選択肢を考えましょう。
3　アンケートをしましょう。
4　アンケートの結果をまとめて、発表しましょう。

**話 読 聞 書**

### 「私のおすすめ」

私のおすすめは青春18きっぷです。青春18きっぷは1日どこへでも行くことができる切符です。春休みや夏休みなど長い休みのとき、買うことができます。5枚分の切符で11,500円です。友達と旅行に行くとき、一緒に使うこともできます。新幹線や特急電車に乗ることができませんが、旅行が好きな人にはおすすめです。電車の窓から景色を見たり、駅弁を食べたりすることができますから、楽しいです。時間がある人はぜひ青春18きっぷで旅行してください。

> おすすめは何ですか
>
> どんな○○ですか
>
> 何ができますか

おすすめ　駅弁　切符　特急電車　〜分

## ことば

### 1 経験から

紅葉(こうよう)
サービス
相撲(すもう)
ホテル
知(し)ります[知る]1
デート・します[デート・する]3
1回(かい)も
何回(なんかい)も

### 2 おすすめします

男(おとこ)の人(ひと)
女(おんな)の人(ひと)
(お)店(みせ)
遊園地(ゆうえんち)
ジェットコースター
電気製品(でんきせいひん)
サングラス
眼鏡(めがね)
シャツ
スカート
ネクタイ
帽子(ぼうし)
人気(にんき)
売(う)ります[売る]1
かぶります[かぶる]1
泊(と)まります[泊まる]1
はきます[はく]1
かけます[かける]2
　眼鏡(めがね)をかけます。
着(き)ます[着る]2
します[する]3
　ネクタイをします。
青(あお)い
赤(あか)い
黄色(きいろ)い
若(わか)い
新鮮(しんせん)(な)

### 3 教えてください

材料(ざいりょう)
場所(ばしょ)
バスケットボール
浴衣(ゆかた)
どこか
練習(れんしゅう)・します[練習・する]3
みんなで

## もう一度聞こう

ワン：山口さん、私は冬休みに初めて北海道へ行きます。
　　　山口さんは北海道へ行ったことがありますか。
山口：はい、ありますよ。3回あります。北海道でスキーをしたり、
　　　おいしいものを食べたりしました。
ワン：そうですか。私は今、北海道で泊まるホテルを探しています。
　　　どこかいいホテルを知っていますか。
山口：そうですねえ。グレイトはどうですか。
ワン：ぐれいと？
山口：駅から近くて、部屋から海が見えるホテルです。私は去年、友達と泊まりました。
ワン：そうですか。料理はどうでしたか。
山口：とてもおいしかったです。新鮮な魚料理をたくさん食べました。
ワン：へえ、私もそのホテルに泊まりたいです。
山口：あ、このホテルのちゃんちゃん焼きという料理はおいしいですから、
　　　ぜひ食べてください。
ワン：そうですか。わかりました。
山口：あ、インターネットで予約することができますよ。
ワン：そうですか。
山口：北海道の冬はとても寒いですから、毛糸の帽子や手袋を持って行ったほうが
　　　いいですよ。
ワン：はい、そうします。

---

手袋　毛糸

## 第14課
# 国の習慣

### 話してみよう

### 聞いてみよう

# 1 初めて見た！初めて聞いた！

## チャレンジ！　　　　　　　　　　　　　C 43-45

友達とショッピングビルにいます。
You are at a shopping center with a friend.
和朋友在商场。
친구와 쇼핑몰에 있습니다.

1-1

1-2

2

使い方がわからない人に簡単に使い方を説明することができる。
You can simply explain to someone how to use something.
会对不知道使用方法的人简单说明使用方法。
사용법을 모르는 사람에게 간단히 사용법을 설명할 수 있다.

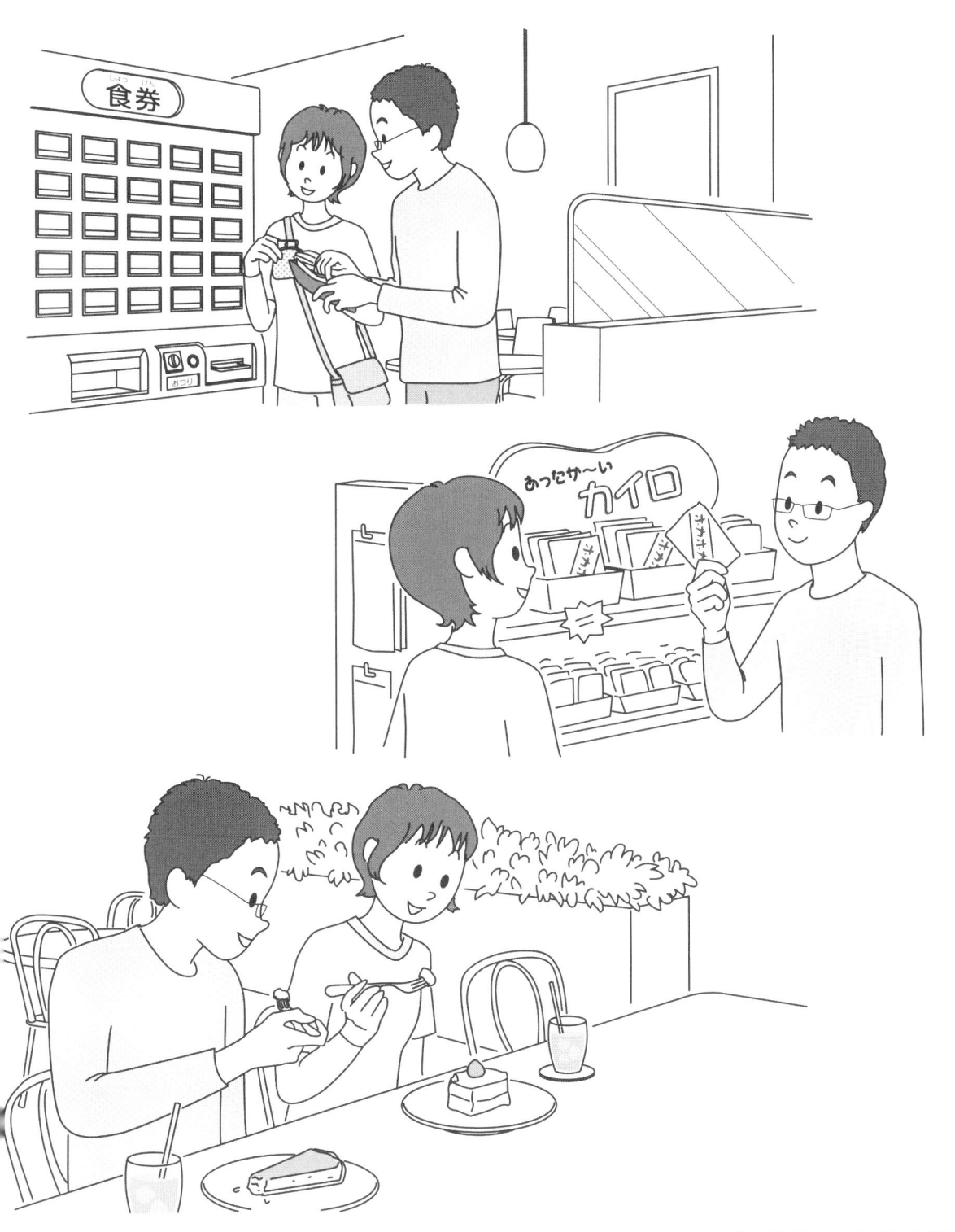

☞ ポイント 113、118

# 言ってみよう

1-1 例) A：あれ？ ドアが開きません。
　　　　B：あっ、そのボタンを押すと、開きますよ。
　　　　A：どうもありがとうございます。

例) ドア・開きます 
① お釣り・出ます 
② コーヒー・出ます 
③ 電気・つきます 
④ 水・出ます

1-2 例) A：あれは何ですか。
　　　　B：こたつです。
　　　　A：こたつ？
　　　　B：はい。こたつは冬、使うものです。
　　　　　　こたつに足を入れると、暖かくなります。
　　　　A：へえ。

例) こたつ／冬／こたつに足を入れます・暖かいです
① 風鈴／夏／風鈴の音を聞きます・涼しいです
② カイロ／冬／ポケットにカイロを入れます・体が暖かいです
③ 湯たんぽ／冬／湯たんぽにお湯を入れて、布団の中に湯たんぽを入れます・布団の中が暖かいです

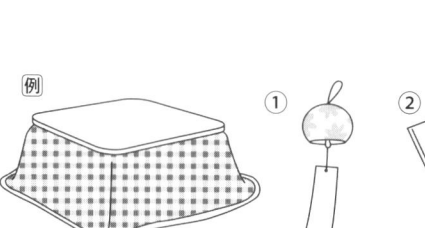

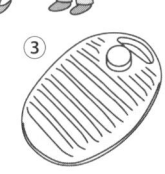

② 例) A:「おいしい」は英語で何と言いますか。
　　B:「Delicious」と言います。

例「おいしい」・英語
① 「おなかがすきました」・
② 「おなかがいっぱいです」・
③ 「いただきます」・
④ 「ごちそうさまでした」・

## やってみよう　C 46

CDを聞いてください。どんなものですか。

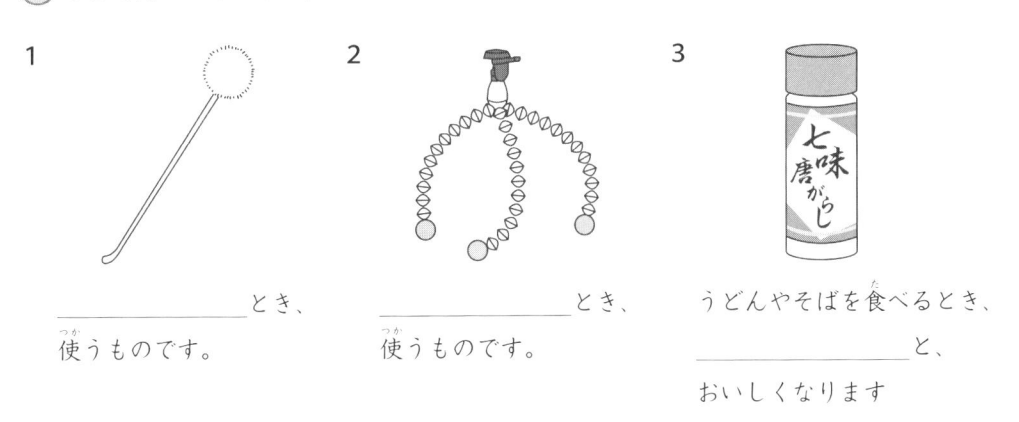

1
＿＿＿＿＿＿＿とき、
使うものです。

2
＿＿＿＿＿＿＿とき、
使うものです。

3
うどんやそばを食べるとき、
＿＿＿＿＿＿＿と、
おいしくなります

■ 国のもの、日本のもので便利なものをクラスメイトに紹介しましょう。

ポイント　113、118

## 2 ルール・マナー

### チャレンジ！

友達と出かけています。
You are out with a friend.
和朋友出门。
친구와 외출했습니다.

1

2

トラブルを未然に防ぐために、ルールやマナーなどを友達に言うことができる。
You can explain rules, etiquette, etc. to a friend in order to prevent trouble.
为了防患于未然，会事先向朋友说明一些礼节、习惯。
트러블을 미연에 방지하기 위해서 규칙이나 매너 등을 친구에게 말할 수 있다.

3

☞ ポイント 114、115、116

# 言ってみよう

1 例) A：あ、Bさん、ここで携帯電話を使ってはいけませんよ。
　　　B：あっ、そうなんですか。
　　　A：ほら、あれ。
　　　B：あっ、本当だ。

2 例) A：あ、Bさん、シートベルトをしなければなりませんよ。
　　　B：あっ、そうなんですか。知りませんでした。

3  例) A：あ、Bさん、ここで靴を脱がなくてもいいですよ。
　　 B：へえ、そうなんですか。

## やってみよう

CDを聞いてください。[　　]の中から選んでください。

例) アンナさんは駅の前に自転車を………[止めます・止めません]
1  マリヤムさんは猫にえさを……………[やります・やりません]
2  メアリーさんはお湯に入る前に体を……[洗います・洗いません]
3  木村さんは高校生のとき、制服を………[着ました・着ませんでした]

■ ペアで話しましょう。友達と一緒に遊びに行きました。
　下のカードを242〜243ページの「チャレンジ！」のイラストの上に置いてください。
　それから、絵の中の人物になりきって話しましょう。

ポイント　114、115、116

# 3 私の意見

## チャレンジ！

友達と町を歩いています。
You are walking around town with a friend.
和朋友在街上走。
친구와 시내를 걷고 있습니다.

**Berry's**
Family Restaurant

アルバイト募集中!!
時給 1,000円

### 1-1

高い / 高校生
アルバイトをしていない / アルバイトをしている
時給 1,000円

高校生 / 高校生

身近なことについて、自分の意見を簡単に言ったり相手の意見を聞いたりすることができる。
You can simply state your opinions about everyday topics, and can ask others for theirs.
对较熟悉的事情会简单叙述自己的意见，询问对方的意见。
일상적인 것에 대해서 자신의 의견을 간단히 말하거나 상대방의 의견을 물을 수 있다.

# 言ってみよう

**1-1 例)** A：東京の地下鉄は便利ですね。
B：そうですね。でも、少し複雑だと思います。

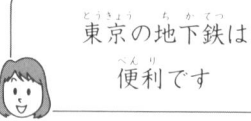

例)
- 東京の地下鉄は便利です
- 少し複雑です

① 高校生の制服はおしゃれです / スカートが短いです

② 日本の携帯電話はデザインがいいです / 高いです

③ 一人暮らしは大変です / 自由がありますから、いいです

④ 電車で音楽を聞いている人が多いです / ときどき音が聞こえますから、迷惑です

⑤ 外国の生活は忙しいです / 毎日いろいろなことを勉強することができますから、いい経験になります

⑥ アルバイトをしている高校生が多いです / 高校生は勉強が大切ですから、アルバイトをしないほうがいいです

**1-2 例)** A：日本のテレビ番組についてどう思いますか。
B：うーん。おもしろいですが、少しうるさいと思います。

例) 日本のテレビ番組
① 若い人のファッション  ② 日本の交通  ③ ファストフード
④ 電車で化粧すること  ⑤ 高校生がアルバイトをすること

1-3 例) A：田舎の生活と都会の生活とどちらがいいと思いますか。
　　　 B：空気がきれいですから、田舎のほうがいいと思います。

例 A：田舎の生活・都会の生活・いい
　 B：空気がきれいです・田舎
① A：フリープラン・ツアー・いい
　 B：自分で予約しなくてもいいです・ツアー
② A：コンビニ・スーパー・いい
　 B：夜、お弁当が安くなります・スーパー
③ A：田舎の生活・都会の生活・いい
　 B：田舎は交通が不便です・都会
④ A：電話・メール・便利
　 B：いつでも送ることができます・メール

## やってみよう

CDを聞いてください。何と言いましたか。

1　日本のテレビ番組

　カルロス：＿＿＿＿＿＿＿＿と思います。

　メアリー：＿＿＿＿＿＿＿＿が、＿＿＿＿＿＿＿＿と思います。

2　若い人のファッション

　パク：＿＿＿＿＿＿＿＿と思います。

　マルコ：私もそう思います。

3　田舎と都会

　ダニエル：＿＿＿＿＿＿＿＿のほうがいいと思います。

　　　　　＿＿＿＿＿＿＿＿から。

　木村：＿＿＿＿＿＿＿＿のほうがいいと思います。

　　　　＿＿＿＿＿＿＿＿は＿＿＿＿＿＿＿＿て、＿＿＿＿＿＿＿＿から。

■日本とあなたの国と何が違いますか。どう思いますか。クラスメイトと話しましょう。
　例) ファッション、食べ物、日本のテレビ番組など

# できる！

- 自分の国の習慣やマナー・ルールを紹介して、日本のことも聞きましょう。

1 テーマを決めましょう。
　例 校則、食事のマナー、携帯電話など
2 ポスターを作りましょう。
3 クラスメイトや周りの日本人に発表をしましょう。
4 発表を聞いて、お互いに意見や感想を言いましょう。

## 話 読 聞 書

### 「日本でびっくりしたこと」

私は夏休みに日本人の家にホームステイをしました。
そのとき、日本のお風呂の習慣にびっくりしました。
私の国では、自分が入ったお湯を捨てなければなりません。
それで、私はお風呂から出たとき、バスタブのお湯を捨てました。
でも、日本では、家族みんなが同じお湯を使いますから、
お湯を捨ててはいけません。お湯がなくなったお風呂を見て、
ホストファミリーのお母さんが「あれ！」と大きい声を出しました。
私の話を聞いたお母さんと私は一緒に笑いました。
外国の生活は少し大変ですが、いろいろな経験ができますから、
おもしろいと思います。

> 日本へ来て
> びっくりしたことが
> ありますか。
> それは何ですか

> どう思いますか

---

習慣　バスタブ　話　ホストファミリー　みんな
なくなります[なくなる]1　笑います[笑う]1　同じ　びっくり

# ことば

## 1 初めて見た！初めて聞いた！

うどん
そば
カイロ
こたつ
字
食券
(お)釣り
電気
ドア
唐辛子
風鈴
布団
ポケット
ボタン
(お)湯
湯たんぽ
レバー
開きます[開く]1
触ります[触る]1
つきます[つく]1
回します[回す]1
出ます[出る]2
　お釣りが出ます。
あれ？
いただきます
おなかがいっぱいです
ごちそうさまでした

## 2 ルール・マナー

以下
玄関
シートベルト
制服
バイク
ヘルメット
パスポート
身分証
料金
入場料
並びます[並ぶ]1
止めます[止める]2
分けます[分ける]2
きちんと
そうなんですか
ほら

## 3 私の意見

田舎
都会
空気
交通
時給
自由
デザイン
番組
ファストフード
ファッション
フリープラン
思います[思う]1
化粧・します[化粧・する]3
経験・します[経験・する]3
うるさい
おしゃれ(な)
複雑(な)
便利(な)
不便(な)
いつでも
うーん
～について
私もそう思います

# もう一度聞こう

### 駅の前で

ナタポン：あ、パクさん。そこに自転車を止めてはいけませんよ。
　パク　：えっ？　そうなんですか。
ナタポン：ほら、あれ。自転車は駐輪場に止めなければなりません。
　パク　：あ、本当だ。

### 切符売り場で

ナタポン：あ、パクさん。もう切符を買いましたか。
　パク　：いいえ。パスモがありますから。
ナタポン：ぱすも？
　パク　：このカードです。電車に乗るとき、切符を買わなくてもいいですから、便利ですよ。
ナタポン：へえ、いいですね。私もほしいです。
　パク　：ここで買うことができますよ。このボタンを押して、お金を入れると、カードが出ますよ。
ナタポン：へえ、簡単ですね。

### 電車の中で

ナタポン：はい、もしもし。
　パク　：あっ、ナタポンさん、電車の中で携帯電話を使ってはいけませんよ。ほら、あれ。
ナタポン：あ、本当だ。
　パク　：その携帯電話、新しいですね。
ナタポン：はい、昨日、買いました。日本の携帯電話はデザインがいいですね。
　パク　：そうですね。でも、ちょっと高いと思います。

---

駐輪場

# 第15課
# テレビ・雑誌から

## 話してみよう

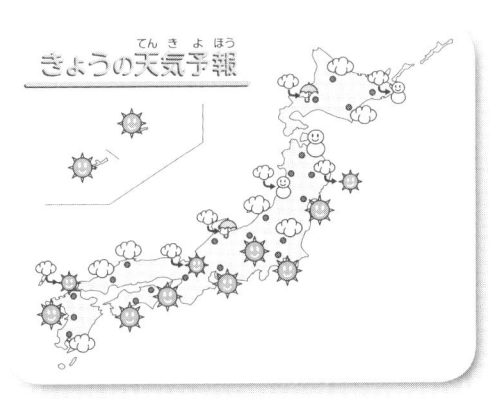

## 聞いてみよう

# 1 これ、知ってる？

## チャレンジ！

寮のロビーで、友達と話しています。
You are talking with a friend in the dormitory's lobby.
在宿舍的大厅和朋友说话。
기숙사 로비에서 친구와 말하고 있습니다.

1-1

みどり公園 フリーマーケット
150円
50円
一緒に

1-2

日曜日 フリーマーケット
恋人
マルコさんの恋人

テレビや雑誌などの情報を友達に伝えて、誘ったり、その情報の感想を話したりすることができる。
You can communicate information from TV/magazines to friends to invite them out, and can share impressions concerning that information.
会将电视、杂志上看到的信息告诉朋友，邀请朋友一起去，或者谈论感想。
텔레비전이나 잡지 등의 정보를 친구에게 전하고, 무언가를 제안하거나 그 정보에 대한 의견을 말할 수 있다.

ニュースで見たことを、友達に話しています。
You are talking with your friend about what you saw on the TV news.
对朋友讲看到的新闻。
뉴스에서 본 것을 친구에게 말하고 있습니다.

2

SMILE 木村ユウト けが

バスの事故
木村ユウト

来週

☞ ポイント 119、124

# 言ってみよう

1-1 例) A：週末、みどり公園でフリーマーケットがあるそうですよ。
　　　 B：へえ。
　　　 A：一緒に行きませんか。💬
　　　 B：いいですね。行きましょう。

例) みどり公園 フリーマーケット
① ニコニコショッピングビル SALE 今日から!!
② 山下動物園 今日から1週間無料
③ おいしい ラーメン めん太
④ 駅の前に デパートがオープン！ E&W
⑤ 交流会 場所『さくらセンター』 8月10日(日)13時～ みなさん来てください！

1-2 例) A：Bさん、知っていますか。先週、西川さんが入院したそうですよ。
　　　 B：えっ？　そうですか。心配ですね。💬

例) 西川　先週…
① カルロス　来月…
② マルコ
③ ほしの美術館　今月・無料

2  例) A：Bさん、ニュースを見ましたか。
　　　B：いいえ。
　　　A：地震でビルが倒れたそうです。
　　　B：本当ですか。怖いですね。

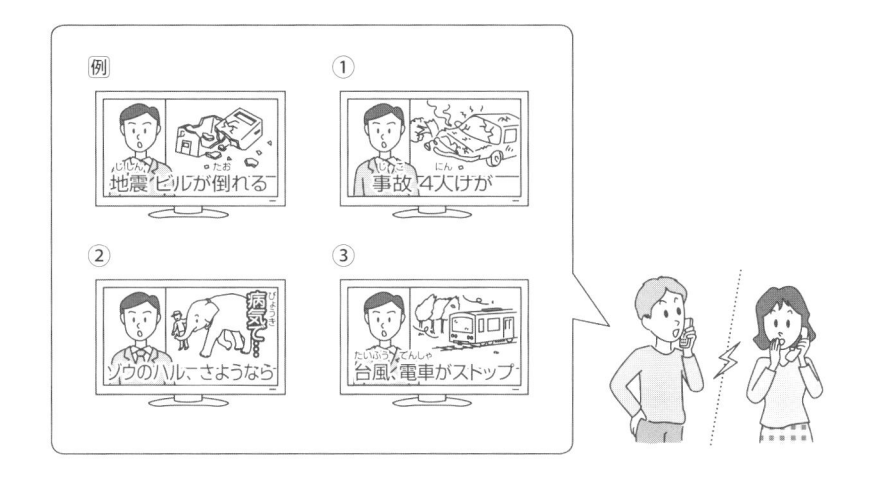

例) 地震・ビルが倒れる
① 事故・4人けが
② ゾウのハル・さようなら
③ 台風・電車がストップ

## やってみよう

CDを聞いて、ⓐかⓑかどちらかを選んでください。それから理由を書いてください。

| | | | どうしてですか |
|---|---|---|---|
| 例 | マリヤムさんはどうしますか | ⓐ 行きます（○）<br>ⓑ 行きません | 新しいスカートがほしいですから |
| 1 | いつ行きますか | ⓐ 今週<br>ⓑ 来週 | |
| 2 | いつ行きますか | ⓐ 水曜日<br>ⓑ 金曜日 | |
| 3 | 何をあげますか | ⓐ 絵<br>ⓑ お皿 | |
| 4 | メアリーさんの気持ちはどうですか | ⓐ いいです<br>ⓑ よくないです | |

■ テレビや雑誌で見たり、友達に聞いたりして知ったことをクラスメイトに話しましょう。

☞ ポイント 119、124

# 2 雑誌を見て町へ

## チャレンジ！ C 60-62

寮のロビーで雑誌を見ながら友達と話しています。
You are talking with a friend while looking at a magazine in the dormitory's lobby.
在宿舍的大厅一边看杂志一边和朋友说话。
기숙사 로비에서 잡지를 보면서 친구와 말하고 있습니다.

1

新しい動物園
動物園

時間
動物園
アンナ

雑誌などの情報をもとに、いろいろな条件を考えながら友達と行動することができる。
You can plan activities with friends by discussing various options based on information obtained from magazines, etc.
会根据杂志上的信息，考虑各种条件，安排和朋友的活动。
잡지 등의 정보를 바탕으로 여러 조건을 고려하면서 친구와 행동할 수 있다.

ポイント　120、121、123

# 言ってみよう

## 1

例) A：隣の町に新しいスーパーができたそうですよ。
　　B：えっ？　本当ですか。
　　A：ええ。1,000円以上買ったら、プレゼントがあるそうですよ。
　　B：そうですか。
　　A：時間があったら、一緒に行きませんか。
　　B：いいですね。行きましょう。

例）スーパー／
1,000円以上買います・プレゼントがあります

① 電器屋／
他の店より高いです・安くなります

② 居酒屋／
雨です・5パーセント引きです

③ 遊園地／
友達と3人で行きます・
ストラップをもらうことができます

## 2

例) A：週末、フリーマーケットがあるそうですよ。
　　B：えっ？　フリーマーケット？
　　A：はい。きっと安くていいものがあると思います。
　　　もしよかったら、一緒に行きませんか。
　　B：いいですね。行きましょう。

例）週末、フリーマーケット／安くていいものがあります
① あさって、お祭り／にぎやかで、楽しいです
② 土曜日、サッカーの試合／おもしろいです
③ 横浜で花火大会／きれいです

3 例) A：サンサンでセールがあるそうですよ。
　　B：へえ。いいですね。ぜひ行きたいです。
　　A：ああ、でも、週末ですから、人が多いと思いますが、大丈夫ですか。
　　B：うーん。人が多くても、行きたいです。
　　A：じゃ、行きましょう。

例　サンサンでセールがあります／週末ですから、人が多いです
① さくらセンターで料理教室があります／無料じゃありません
② 駅の前のすし屋はおいしいです／
　　人気がある店ですから、長い時間待ちます
③ あさってから相撲が始まります／
　　チケットの予約は1か月前に始まりましたから、
　　もういい席がありません

## やってみよう

CDを聞いて、質問に答えてください。

1　2人は日曜日、どこへ行きますか。雨でも行きますか。
2　ナタポンさんは明日、何をしますか。
3　2人はこれから何をしますか。どうして急がなくてもいいですか。

■ ロールプレイをしましょう。

A　町の情報誌を見ています。イベントや店について説明して、Bさんを誘ってください。

B　Aさんにいろいろ質問してください。

ポイント　120、121、123

# 3 町を歩いて

## チャレンジ！

C 64-65

友達と喫茶店にいます。
You are at a coffee shop with a friend.
和朋友在咖啡馆。
친구와 찻집에 있습니다.

**1-1**

出かけた先で、自分の周りの様子を簡単に話すことができる。
You can simply discuss the things you see while out on town.
出门后，会简单叙述自己周围的情况。
외출한 곳에서 자신의 주변 상황을 간단히 말할 수 있다.

町の様子を見て友達と話しています。
You are looking at and talking about the cityscape with your friend.
对朋友讲街上的情况。
시내의 모습을 보고 친구와 말하고 있습니다.

1-2

☞ ポイント 122

# 言ってみよう

1-1 例) A：あのう、コップが汚れています。
　　　　店員：あっ、すみません。

1-2 例) A：あっ、電車が止まっています。
　　　　B：本当だ。
　　　　A：バスで行きませんか。
　　　　B：そうですね。

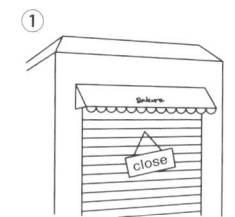

# やってみよう

◎ CDを聞いてください。ⓐ〜ⓕのどの2人が話していますか。

1 _____    2 _____

■ ペアで話しましょう。上のイラストの中の人物になりきって、話しましょう。

☞ポイント 122

# できる！

- オリジナルの新聞や雑誌を作りましょう。

1 どんな記事を書きたいか、話しましょう。
  例 あなたが住んでいる町にはどんなイベントがありますか。
  例 あなたのおすすめの店はどこですか。
  例 最近どんなニュースを見ましたか。
  例 あなたの3大ニュースは何ですか。
2 記事を書きましょう。
3 できあがった新聞や雑誌を読んで話しましょう。

話 読 聞 書

### 「私のニュース」

6月10日、私は町のスピーチコンテストに参加しました。緊張でおなかが痛くなりましたが、最後までスピーチすることができました。そして、なんと3位になりました。コンテストの日、ホールにはたくさんの人が集まっていました。お客さんの中にはたくさんの外国人留学生もいました。私は日本での留学生活について話しました。お客さんは私の話を聞いて、ときどき笑ったり、「うん」「うん」とうなずいたりしていました。とても緊張しましたが、いい思い出になりました。

> あなたのビッグニュースは何ですか

> どうでしたか

---

スピーチコンテスト　〜位　最後　ホール　思い出
うなずきます[うなずく]1　緊張・します[緊張・する]3
笑います[笑う]1　なんと

# ことば

## 1 これ、知ってる？

ガラス
曇り
台風
地震
事故
〜大会(例：花火大会)
チーム
中止
フリーマーケット
本当
昔
無料
夕方
死にます[死ぬ]1
亡くなります[亡くなる]1
止まります[止まる]1
始まります[始まる]1
降ります[降る]1
勝ちます[勝つ]1
負けます[負ける]2
倒れます[倒れる]2
できます[できる]2
　新しい店ができます。
割れます[割れる]2
結婚・します[結婚・する]3
入院・します[入院・する]3
怖い
心配(な)

## 2 雑誌を見て町へ

風
ストラップ
席
急ぎます[急ぐ]1
混みます[混む]1
間に合います[間に合う]1
やみます[やむ]1
晴れます[晴れる]2
〜パーセント
〜引き
　(例：10パーセント引き)
強い
きっと
たぶん
もし

## 3 町を歩いて

集まります[集まる]1
閉まります[閉まる]1
すきます[すく]1
落ちます[落ちる]2
消えます[消える]2
壊れます[壊れる]2
汚れます[汚れる]2

## もう一度聞こう　C 55

パク　：メアリーさん、明日、浅草で大きい花火大会があるそうですよ。
　　　　よかったら、一緒に行きませんか。
メアリー：へえ、いいですね。あ、パクさん、明日は天気がよくないそうですよ。
　　　　花火大会は雨が降っても、ありますか。
パク　：いいえ、雨が降ったら、中止だそうです。
メアリー：そうですか。
パク　：大丈夫ですよ。きっと晴れると思います。
メアリー：そうですね。
パク　：あ、花火大会の会場は人がとても多いですから、
　　　　店もとても混んでいると思います。
メアリー：じゃ、コンビニで何か食べ物を買って、持って行ったほうがいいですね。
パク　：そうですね。
メアリー：何時に会いますか。
パク　：6時はどうですか。
メアリー：いいですね。じゃ、浅草で6時に会いましょう。

### 花火大会の日

メアリー：パクさん、こんばんは。
パク　：こんばんは。雨、降りませんでしたね。
メアリー：はい、よかったですね。
パク　：ああ、もう人がたくさん集まっていますね。
メアリー：そろそろ始まりますよ。早く行きましょう。
　　　　　　……
パク　：わあ、きれいですね。
メアリー：そうですね。

---

会場

# 巻末資料

ポイント一覧

表

索引

シラバス一覧

# ポイント一覧

**N** 名詞 noun 名词 명사
**V** 動詞 verb 动词 동사
**A** 形容詞 adjective 形容词 형용사
　**イA** イ形容詞 イadjective イ形容詞 이 형용사
　**ナA** ナ形容詞 ナadjective ナ形容詞 나 형용사

## 第1課

1　**N1** は **N2** です
　パクさんは学生です。
　私は中国人です。
　私は26歳です。

2　**N1** は **N2** ですか
　――はい、**N2** です／いいえ、**N2** じゃありません
　ワンさんは学生ですか。
　――はい、学生です。／いいえ、学生じゃありません。

3　**N** はどちら／いつ／何ですか
　お国はどちらですか。
　誕生日はいつですか。
　趣味は何ですか。

4　**N1** の **N2**
　私はふじみ大学の学生です。
　私の誕生日は5月4日です。
　私の趣味は旅行です。

5　**N1** と **N2**
　パクさんの趣味は旅行と映画です。

6　**N** も
　ワンさんの趣味は料理です。ナタポンさんの趣味も料理です。

## 第2課

7　これ／それ／あれ
　これは10,000円です。

8　この／その／あの **N**
　あのTシャツは3,000円です。

9　ここ／そこ／あそこ／どこ（こちら／そちら／あちら／どちら）
　　トイレはどこですか。　──　あそこです。

10　　N　　を（〜つ）ください
　　そのＴシャツをください。
　　ハンバーグを2つとカレーを1つください。

11　いくら
　　これはいくらですか。　──　10,000円です。

12　何の　　N
　　これは何のカレーですか。　──　豚肉のカレーです。

13　どこの　　N
　　これはどこのビールですか。　──　ドイツのビールです。

14　誰の　　N
　　これは誰の財布ですか。　──　私の財布です。

15　N（〜語）　で
　　「ぶたにく」は英語で何ですか。　──　「pork」です。

## 第3課

16　　V　　ます／ません
　　アンナさんは毎日、朝ご飯を食べますか。
　　──　はい、食べます。／いいえ、食べません。

17　N（場所）　へ　　V　　ます
　　私は日曜日、図書館へ行きます。
　　私は夏休み、国へ帰ります。

18　　N　　を　　V　　ます
　　私は毎朝、コーヒーを飲みます。

19　N（時間）　に　　V　　ます
　　私は8時に起きます。

20　N（場所）　で　　V　　ます
　　私は北海道でスキーをします。

21　N（時間・曜日）　から　N（時間・曜日）　まで
　　みどり郵便局は午前9時から午後5時までです。
　　私は1時から3時まで勉強します。

日曜日(に)公園へ行きます。
夏休み(に)北海道へ行きます。
＊私は毎日に学校へ行きます。

22 　N1　 や 　N2　 など
　　私は朝、パンやサラダなどを食べます。

23 　何も／どこ(へ)も　 　V　 ません
　　パクさんは朝、何を食べますか。　——　私は朝、何も食べません。
　　ナタポンさんは午後、どこへ行きますか。　——　どこへも行きません。

## 第4課

24 　N　 は 　A　 です
　　　N　 は 　イA-い　 くないです
　　　N　 は 　ナA　 じゃありません

　　　　　　　　　　　　　　　　　いいです　→　よくないです

　　私の町は緑が多いです。
　　この料理は辛くないです。
　　私の町はにぎやかじゃありません。

25 　イA　 ＋ 　N　
　　　ナA　 な＋ 　N　
　　姫路城は大きいお城です。
　　私の町はにぎやかなところです。

26 　N(国・町)　 は [春・○月・一年中……]、 　A　 です
　　東京は6月、雨が多いです。

27 とても／少し 　A　 です
　　あまり { 　イA-い　 くないです
　　　　　　 　ナA　 じゃありません
　　私の町は冬、とても寒いです。
　　この公園はあまり大きくないです。

28 　N1(場所)　 に 　N2　 があります
　　私の町にきれいな川があります。

29 　N(町)　 は 　N(国)　 の[東・西・南・北・真ん中]です
　　沖縄は日本の南です。

30 　N(場所1)　 から 　N(場所2)　 までどのくらいですか
　　　N(場所1)　 から 　N(場所2)　 まで[～時間・分]です
　　東京から箱根までどのくらいですか。　——　1時間半くらいです。
　　うちから駅まで5分です。

31 　N(乗り物)　 で
　　大阪から京都まで電車で30分くらいです。

32 どんな N

アユタヤはどんなところですか。 —— きれいなところです。

33 N はどうですか

日本は8月、とても暑いです。ロシアはどうですか。 —— ロシアはあまり暑くないです。

34 そして

この町はにぎやかです。そして、きれいです。

35 ＿＿＿＿＿が、＿＿＿＿＿

私の町は大きくないですが、いいところです。

36 ＿＿＿＿＿ね

暑いですね。 —— そうですね。

## 第5課

37 V ました／ませんでした

おととい、新宿へ行きました。
昨日、勉強しませんでした。

38 イA-い かったです／くなかったです

ナA
N  } でした／じゃありませんでした

昨日のパーティーは楽しかったです。
映画はあまりおもしろくなかったです。
昨日は雨でした。
テストは簡単じゃありませんでした。
旅行はどうでしたか。 ——とても楽しかったです。

39 N が 好きです／嫌いです

私は日本のアニメが好きです。

40 N がほしいです

私はパソコンがほしいです。

41 Vマス形-ます たいです

私はコーヒーを飲みたいです。

42 N1(場所) へ { Vマス形-ます / N2 } に行きます

週末、友達と渋谷へお酒を飲みに行きます。
私は新宿へ買い物に行きます。

コーヒーを飲みたいです。
［が］
北海道へ行きたいです。
［が］
友達に会いたいです。
［が］

43 どこかへ行きますか
昨日、どこか(へ)行きましたか。
―― はい、新宿へ行きました。／いいえ、どこ(へ)も行きませんでした。

44 どうして
どうして朝、何も食べませんでしたか。 ―― 朝、忙しかったですから。

45 それから
昨日、恋人と映画を見ました。それから、食事をしました。

46 N(人) と V ます
週末、友達とサッカーをしました。

47 ＿＿＿＿から、＿＿＿＿＿
昨日、雨でしたから、どこへも行きませんでした。

## 第6課

48 V ませんか

49 V ましょう
今晩、一緒にご飯を食べに行きませんか。
―― いいですね。行きましょう。／すみません。今晩はちょっと……。

50 N があります
明日、友達と約束があります。

51 N1(場所) で N2 があります
今晩、横浜でサッカーの試合があります。

52 N が(～枚・～つ……)あります
映画のチケットが2枚あります。

53 N1 で N2 がいちばん A です
スポーツで野球がいちばんおもしろいです。

54 N1 は N2 より A です
7月は8月より雨が多いです。

55 N1 と N2 とどちらが A ですか

56 N のほうが A です
夏と冬とどちらが好きですか。 ―― 夏のほうが好きです。

57 もう V ましたか
―― はい、 V ました／いいえ、まだです
もうふじまるランドへ行きましたか。
―― はい、行きました。／いいえ、まだです。

274

58 ＿＿N＿＿ はどうですか

A：何を食べますか。

B：おすしはどうですか。

A：いいですね。

59 ＿＿＿＿＿＿ね

5時に会いましょう。 ── 5時ですね。

60 ＿＿＿＿＿＿よ

この映画はとてもおもしろいですよ。

## 第7課

61 N1(人) は N2(場所) にいます
N1(物) は N2(場所) にあります
私は本屋にいます。
バス停はコンビニの前にあります。

62 N1(場所) に N2(人・動物) がいます
N1(場所) に N2(物) があります
あそこにパクさんがいます。
銀行の前に本屋があります。

63 Vテ形 ください
私のかばんを取ってください。

64 Vテ形 います
パクさんはあそこで電話をかけています。

65 ＿＿V＿＿ ましょうか
手伝いましょうか。

66 ( ＿＿N＿＿ の) Vマス形-ます 方
料理の作り方を教えてください。

67 まだ／もう
サラダはまだありますか。 ── はい、まだあります。／いいえ、もうありません。

68 誰が
誰がこのケーキを作りましたか。 ── ワンさんが作りました。

69 どの ＿＿N＿＿

A：お皿を洗ってください。

B：どのお皿ですか。

A：そのお皿です。

70 どれ
塩はどれですか。 —— それです。

71 N(道具) で V ます
はしでご飯を食べます。

## 第8課

72 Vテ形 います
私は横浜に住んでいます。

73 Vテ形 います
友達は高校で英語を教えています。

74 N1 は N2 が A です
ダニエルさんは背が高いです。
マルコさんはサッカーが上手です。

75 イA-い くて、＿＿＿＿
　　ナA
　　N ｝で、＿＿＿＿

メアリーさんは目が大きくて、髪が長いです。
ナタポンさんはまじめで、親切です。
妹は15歳で、中学生です。

76 N1(人) に N2(物) をあげます
カルロスさんはパクさんに花をあげました。

77 N1(人) に N2(物) をもらいます
パクさんはカルロスさんに花をもらいました。

78 N1(人) に N2(物) をくれます
メアリーさんが私にかばんをくれました。

79 N(人) が(〜人)います
私は妹が二人います。

80 [〜人]で
私はルームメイトと3人で住んでいます。

## 第9課

81 V辞書形 こと
私の趣味は映画を見ることです。

82 　N  
　V辞書形　こと ｝ ができます  
私はスキーができます。  
私は料理を作ることができません。

83 　Vテ形　、_____  
週末、友達とご飯を食べて、映画を見ます。

84 ［～日・～週間……］に［～回・～本……］  
1週間に2回、家族に電話します。

85 いつも／よく／ときどき／あまり／全然  
ナタポンさんはよくサッカーをしますか。  
——いいえ、あまりしません。

86 どうやって  
どうやって美術館へ行きますか。  
——3番のバスに乗って、美術館前で降ります。

87 でも  
私の趣味はスポーツです。でも、最近、全然しません。

## 第10課

88 　Vナイ形　でください  
そこに入らないでください。

89 　Vテ形　もいいですか  
隣に座ってもいいですか。　——はい、どうぞ。／すみません、ちょっと……。

90 　N　が　Vテ形　います  
あっ、サルがバナナを食べています。

91 まだ　Vテ形　いません  
まだ昼ご飯を食べていません。

92 　Vテ形　きます  
コンビニでジュースを買ってきます。

93 　N  
　V辞書形　こと ｝ ができます  
ここで食事ができます。  
あそこできれいな写真を撮ることができます。

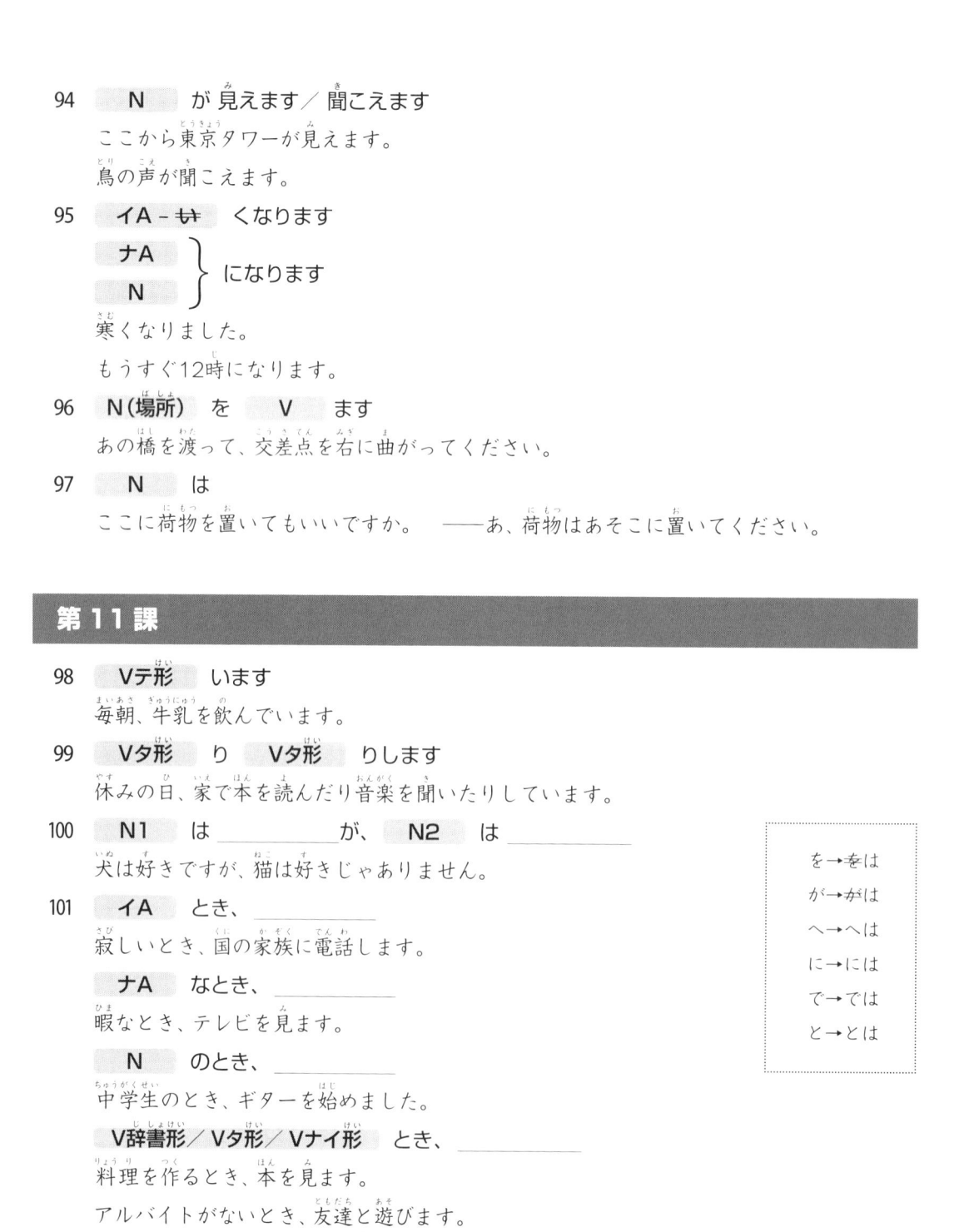

94 　N　 が 見えます／聞こえます
ここから東京タワーが見えます。
鳥の声が聞こえます。

95 　イA-い　 くなります
　ナA　
　N　 ｝ になります
寒くなりました。
もうすぐ12時になります。

96 　N（場所）　 を 　V　 ます
あの橋を渡って、交差点を右に曲がってください。

97 　N　 は
ここに荷物を置いてもいいですか。 ──あ、荷物はあそこに置いてください。

## 第11課

98 　Vテ形　 います
毎朝、牛乳を飲んでいます。

99 　Vタ形　 り 　Vタ形　 りします
休みの日、家で本を読んだり音楽を聞いたりしています。

100 　N1　 は ＿＿＿＿が、 　N2　 は ＿＿＿＿
犬は好きですが、猫は好きじゃありません。

101 　イA　 とき、＿＿＿＿
寂しいとき、国の家族に電話します。

　　ナA　 なとき、＿＿＿＿
暇なとき、テレビを見ます。

　　N　 のとき、＿＿＿＿
中学生のとき、ギターを始めました。

　　V辞書形／Vタ形／Vナイ形　 とき、＿＿＿＿
料理を作るとき、本を見ます。
アルバイトがないとき、友達と遊びます。
イタリアへ行ったとき、この帽子を買いました。
日本へ来るとき、父に時計をもらいました。

102 どうしますか
疲れたとき、どうしますか。 ──甘いものを食べます。

```
を→をは
が→がは
へ→へは
に→には
で→では
と→とは
```

103 友達言葉

海(へ)行く？ ――うん、行く。／ううん、行かない。
昨日、何(を)した？ ――友達と映画(を)見た。
それ(を)見せて。
あの店(は)高いけど、おいしいよ。
日曜日、新宿でご飯(を)食べない？
このＣＤ(を)聞いてもいい？ ――うん、いいよ。

```
ありません      →  ない
ありませんでした  →  なかった
```

## 第12課

104 　普通形　んです

どうしたんですか。
―― 熱があるんです。
―― けがをしたんです。
―― 頭が痛いんです。
―― 風邪なんです。

```
ナA  →  暇なんです
N    →  風邪なんです
```

105 　Ｖタ形／Ｖナイ形　ほうがいいです

野菜をたくさん食べたほうがいいです。
あまりお酒を飲まないほうがいいです。

106 　Ｖ辞書形　
　　　Ｎ　の　｝前に、＿＿＿＿＿
　　[～時間・～日……]

ご飯を食べる前に、薬を飲みます。
食事の前に、手を洗います。
1週間前に、風邪をひきました。

107 　Ｖテ形　から、＿＿＿＿＿

歯を磨いてから、寝ます。

## 第13課

108 　Ｖタ形　こと があります

私は富士山に登ったことがあります。
私は1回も北海道へ行ったことがありません。

109 　普通形　＋　N
これは私がよく読む雑誌です。
私がよく行くレストランは渋谷にあります。
今度みんなで飲み会をする店を探しています。

110 　Vテ形　います
西川さんは今日、黄色いシャツを着ています。

111 知っています／知りません
おいしいパン屋を知っていますか。
――はい、知っています。／いいえ、知りません。

112 　N1　という　N2
これは「さくら」という歌です。

## 第14課

113 　V辞書形　と、＿＿＿＿＿＿
このボタンを押すと、水が出ます。

114 　Vテ形　はいけません
ここに自転車を止めてはいけません。

115 　Vナイ形－ない　ければなりません
シートベルトをしなければなりません。

116 　Vナイ形－ない　くてもいいです
学生は料金を払わなくてもいいです。

117 　普通形　と思います
東京の地下鉄は複雑だと思います。
日本のテレビ番組についてどう思いますか。　――おもしろいと思います。

118 「　　　　」と言います
「おいしい」は英語で「delicious」と言います。

## 第15課

119 　普通形　そうです
明日、台風が来るそうです。
来月、ほしの美術館は無料だそうです。

120 _____たら、_____

| | | |
|---|---|---|
| V | 降ったら(タ形) | 降らなかったら(ナイ形) |
| イA | 暑かったら | 暑くなかったら |
| ナA | 大変だったら | 大変じゃなかったら |
| N | 雨だったら | 雨じゃなかったら |

時間があったら、映画を見に行きませんか。
安かったら、パソコンを買いたいです。
雨だったら、試合は中止です。

121 _____ても、_____

| | | |
|---|---|---|
| V | 降っても(テ形) | 降らなくても(ナイ形) |
| イA | 暑くても | 暑くなくても |
| ナA | 大変でも | 大変じゃなくても |
| N | 雨でも | 雨じゃなくても |

雨が降っても、試合はあります。
高くても、新しい電子辞書がほしいです。
大変でも、富士山に登りたいです。

122  Vテ形  います
入り口に人がたくさん並んでいます。

123  普通形  と思います
あの店のラーメンはきっとおいしいと思います。
カルロスさんはたぶんパーティーに来ないと思います。

124  N  で
事故で電車が止まっています。

## ■ 動詞(V)・形容詞(A)・名詞の表(N)

| | | | |
|---|---|---|---|
| V | 食べます 3課 | 食べません 3課 | 食べました 5課 |
| イA | 大きいです 4課<br>いいです | 大きくないです 4課<br>※よくないです | 大きかったです 5課<br>※よかったです |
| ナA | 静かです 4課 | 静かじゃありません 4課 | 静かでした 5課 |
| N | 雨です 1課 | 雨じゃありません 1課 | 雨でした 5課 |

## ■ 動詞(V)の活用

| | マス形 | テ形 7課 | 辞書形 9課 |
|---|---|---|---|
| 1グループ | 聞きます<br>泳ぎます<br>話します<br>持ちます<br>死にます<br>遊びます<br>飲みます<br>帰ります<br>使います<br><br>行きます | 聞いて<br>泳いで<br>話して<br>持って<br>死んで<br>遊んで<br>飲んで<br>帰って<br>使って<br><br>※行って | 聞く<br>泳ぐ<br>話す<br>持つ<br>死ぬ<br>遊ぶ<br>飲む<br>帰る<br>使う<br><br>行く |
| 2グループ | 食べます<br>起きます | 食べて<br>起きて | 食べる<br>起きる |
| 3グループ | します<br>来ます | して<br>来て | する<br>来る |
| | 〜たいです (5課)<br>〜に行きます (5課)<br>〜ませんか (6課)<br>〜ましょう (6課)<br>〜ましょうか (7課)<br>〜方 (7課) | 〜てください (7課)<br>〜て (9課)<br>〜てもいいです (10課)<br>〜てきます (10課)<br>まだ〜ていません(10課)<br>〜てから (12課)<br>〜てはいけません(14課)<br>〜ても (15課)<br>〜ています<br>(7,8,10,11,13,15課) | 〜ことです (9課)<br>〜ことができます(9,10課)<br>〜とき (11課)<br>〜前に (12課)<br>〜と (14課) |

| | | | |
|---|---|---|---|
| 食べませんでした 5課 | 食べて 7課 | | |
| 大きくなかったです 5課<br>※よくなかったです | 大きくて 8課<br>※よくて | 大きい町 4課<br>いい町 | 大きくなります 10課<br>※よくなります |
| 静かじゃありませんでした 5課 | 静かで 8課 | 静かな町 4課 | 静かになります 10課 |
| 雨じゃありませんでした 5課 | 雨で 8課 | 雨の日 1課 | 雨になります 10課 |

| ナイ形 10課 | タ形 11課 | |
|---|---|---|
| 聞かない<br>泳がない<br>話さない<br>持たない<br>死なない<br>遊ばない<br>飲まない<br>帰らない<br>使わない<br><br>行かない | 聞いた<br>泳いだ<br>話した<br>持った<br>死んだ<br>遊んだ<br>飲んだ<br>帰った<br>使った<br><br>※行った | 書きます　働きます<br>急ぎます　脱ぎます<br>出します　貸します<br>立ちます　待ちます<br><br>飛びます<br>休みます　読みます<br>作ります　切ります<br>会います　買います |
| 食べない<br>起きない | 食べた<br>起きた | 寝ます　教えます<br>見ます　借ります |
| しない<br>来ない | した<br>来た | 勉強します　掃除します<br>持って来ます |
| ～ないでください　（10課）<br>～とき　　　　　　（11課）<br>～ほうがいいです　（12課）<br>～なければなりません（14課）<br>～なくてもいいです　（14課） | ～たり～たり　　　（11課）<br>～とき　　　　　　（11課）<br>～ほうがいいです（12課）<br>～ことがあります（13課）<br>～たら　　　　　　（15課） | |

## ■ 丁寧形と普通形

|  | 丁寧形 | 普通形 |
|---|---|---|
| V | 行きます<br>行きません<br>行きました<br>行きませんでした<br><br>あります<br>ありません<br>ありました<br>ありませんでした | 行く<br>行かない<br>行った<br>行かなかった<br><br>ある<br>※ない<br>あった<br>※なかった |
| イA | おいしいです<br>おいしくないです<br>おいしかったです<br>おいしくなかったです | おいしい<br>おいしくない<br>おいしかった<br>おいしくなかった |
| ナA | 元気です<br>元気じゃありません<br>元気でした<br>元気じゃありませんでした | 元気だ<br>元気じゃない<br>元気だった<br>元気じゃなかった |
| N | 休みです<br>休みじゃありません<br>休みでした<br>休みじゃありませんでした | 休みだ<br>休みじゃない<br>休みだった<br>休みじゃなかった |
| その他 | 食べたいです | 食べたい |
| | 食べています | 食べている |
| | 食べることができます | 食べることができる |
| | 食べてもいいです | 食べてもいい |
| | 食べたほうがいいです | 食べたほうがいい |
| | 食べたことがあります | 食べたことがある |
| | 食べてはいけません | 食べてはいけない |
| | 食べなければなりません | 食べなければならない |
| | 食べなくてもいいです | 食べなくてもいい |

## 数字 2課

| | |
|---|---|
| 1 いち | 11 じゅういち |
| 2 に | 12 じゅうに |
| 3 さん | 13 じゅうさん |
| 4 よん／し | 14 じゅうよん／じゅうし |
| 5 ご | 15 じゅうご |
| 6 ろく | 16 じゅうろく |
| 7 なな／しち | 17 じゅうなな／じゅうしち |
| 8 はち | 18 じゅうはち |
| 9 きゅう | 19 じゅうきゅう |
| 10 じゅう | 20 にじゅう |

| | | | |
|---|---|---|---|
| 10 じゅう | 100 ひゃく | 1000 せん | 10000 いちまん |
| 20 にじゅう | 200 にひゃく | 2000 にせん | 20000 にまん |
| 30 さんじゅう | 300 さんびゃく | 3000 さんぜん | 30000 さんまん |
| 40 よんじゅう | 400 よんひゃく | 4000 よんせん | 40000 よんまん |
| 50 ごじゅう | 500 ごひゃく | 5000 ごせん | 50000 ごまん |
| 60 ろくじゅう | 600 ろっぴゃく | 6000 ろくせん | 60000 ろくまん |
| 70 ななじゅう | 700 ななひゃく | 7000 ななせん | 70000 ななまん |
| 80 はちじゅう | 800 はっぴゃく | 8000 はっせん | 80000 はちまん |
| 90 きゅうじゅう | 900 きゅうひゃく | 9000 きゅうせん | 90000 きゅうまん |

## ■ カレンダー　1課　3課

| 1月 | いちがつ | 4月 | しがつ | 7月 | しちがつ | 10月 | じゅうがつ |
| 2月 | にがつ | 5月 | ごがつ | 8月 | はちがつ | 11月 | じゅういちがつ |
| 3月 | さんがつ | 6月 | ろくがつ | 9月 | くがつ | 12月 | じゅうにがつ |

| 月曜日(げつようび) | 火曜日(かようび) | 水曜日(すいようび) | 木曜日(もくようび) | 金曜日(きんようび) | 土曜日(どようび) | 日曜日(にちようび) |
|---|---|---|---|---|---|---|
| 1 ついたち | 2 ふつか | 3 みっか | 4 よっか | 5 いつか | 6 むいか | 7 なのか |
| 8 ようか | 9 ここのか | 10 とおか | 11 じゅういちにち | 12 じゅうににち | 13 じゅうさんにち | 14 じゅうよっか |
| 15 じゅうごにち | 16 じゅうろくにち | 17 じゅうしちにち じゅうななにち | 18 じゅうはちにち | 19 じゅうくにち | 20 はつか | 21 にじゅういちにち |
| 22 にじゅうににち | 23 にじゅうさんにち | 24 にじゅうよっか | 25 にじゅうごにち | 26 にじゅうろくにち | 27 にじゅうしちにち にじゅうななにち | 28 にじゅうはちにち |
| 29 にじゅうくにち | 30 さんじゅうにち | 31 さんじゅういちにち | | | | |

## ■ 時間(じかん)　3課

| ～時(じ) | | ～分(ふん) | |
|---|---|---|---|
| 1時 | いちじ | 1分 | いっぷん |
| 2時 | にじ | 2分 | にふん |
| 3時 | さんじ | 3分 | さんぷん |
| 4時 | よじ | 4分 | よんぷん |
| 5時 | ごじ | 5分 | ごふん |
| 6時 | ろくじ | 6分 | ろっぷん |
| 7時 | しちじ | 7分 | ななふん |
| 8時 | はちじ | 8分 | はっぷん |
| 9時 | くじ | 9分 | きゅうふん |
| 10時 | じゅうじ | 10分 | じゅっぷん |
| 11時 | じゅういちじ | 15分 | じゅうごふん |
| 12時 | じゅうにじ | 30分 | さんじゅっぷん |
| ? | なんじ | ? | なんぷん |

## ■ 年齢(ねんれい)　1課

| 1歳 | いっさい |
| 2歳 | にさい |
| 3歳 | さんさい |
| 4歳 | よんさい |
| 5歳 | ごさい |
| 6歳 | ろくさい |
| 7歳 | ななさい |
| 8歳 | はっさい |
| 9歳 | きゅうさい |
| 10歳 | じゅっさい |
| 11歳 | じゅういっさい |
| 12歳 | じゅうにさい |
| 20歳 | はたち にじゅっさい |
| ? | なんさい (いくつ) |

## ■ ものの数え方

| | ～階 2課 | ～つ 2課 | ～枚 6課 | ～匹 8課 | ～人 8課 |
|---|---|---|---|---|---|
| 1 | いっかい | ひとつ | いちまい | いっぴき | ひとり |
| 2 | にかい | ふたつ | にまい | にひき | ふたり |
| 3 | さんがい（さんかい） | みっつ | さんまい | さんびき | さんにん |
| 4 | よんかい | よっつ | よんまい | よんひき | よにん |
| 5 | ごかい | いつつ | ごまい | ごひき | ごにん |
| 6 | ろっかい | むっつ | ろくまい | ろっぴき | ろくにん |
| 7 | ななかい | ななつ | ななまい | ななひき | しちにん ななにん |
| 8 | はちかい はっかい | やっつ | はちまい | はっぴき | はちにん |
| 9 | きゅうかい | ここのつ | きゅうまい | きゅうひき | きゅうにん |
| 10 | じゅっかい | とお | じゅうまい | じゅっぴき | じゅうにん |
| ? | なんかい なんがい | いくつ | なんまい | なんびき | なんにん |

| | ～本 9課 | ～杯 9課 | ～冊 9課 | ～回 9課 | ～日 9課 |
|---|---|---|---|---|---|
| 1 | いっぽん | いっぱい | いっさつ | いっかい | いちにち |
| 2 | にほん | にはい | にさつ | にかい | ふつか |
| 3 | さんぼん | さんばい | さんさつ | さんかい | みっか |
| 4 | よんほん | よんはい | よんさつ | よんかい | よっか |
| 5 | ごほん | ごはい | ごさつ | ごかい | いつか |
| 6 | ろっぽん | ろっぱい | ろくさつ | ろっかい | むいか |
| 7 | ななほん | ななはい | ななさつ | ななかい | なのか |
| 8 | はっぽん | はっぱい | はっさつ | はっかい | ようか |
| 9 | きゅうほん | きゅうはい | きゅうさつ | きゅうかい | ここのか |
| 10 | じゅっぽん | じゅっぱい | じゅっさつ | じゅっかい | とおか |
| ? | なんぼん | なんばい | なんさつ | なんかい | なんにち |

## ■ 日(ひ)、週(しゅう)、月(げつ)、年(ねん)  5課 6課

| おととい | 昨日(きのう) | 今日(きょう) | 明日(あした) | あさって |
|---|---|---|---|---|
| 先々週(せんせんしゅう) | 先週(せんしゅう) | 今週(こんしゅう) | 来週(らいしゅう) | 再来週(さらいしゅう) |
| 先々月(せんせんげつ) | 先月(せんげつ) | 今月(こんげつ) | 来月(らいげつ) | 再来月(さらいげつ) |
| おととし | 去年(きょねん) | 今年(ことし) | 来年(らいねん) | 再来年(さらいねん) |

## ■ 自動詞(じどうし)と他動詞(たどうし)

| 自動詞(じどうし)(〜が) | 他動詞(たどうし)(〜を) |
|---|---|
| 開(あ)きます | 開(あ)けます |
| 閉(し)まります | 閉(し)めます |
| つきます | つけます |
| 消(き)えます | 消(け)します |
| 入(はい)ります | 入(い)れます |
| 出(で)ます | 出(だ)します |
| 止(と)まります | 止(と)めます |
| 始(はじ)まります | 始(はじ)めます |
| 集(あつ)まります | 集(あつ)めます |

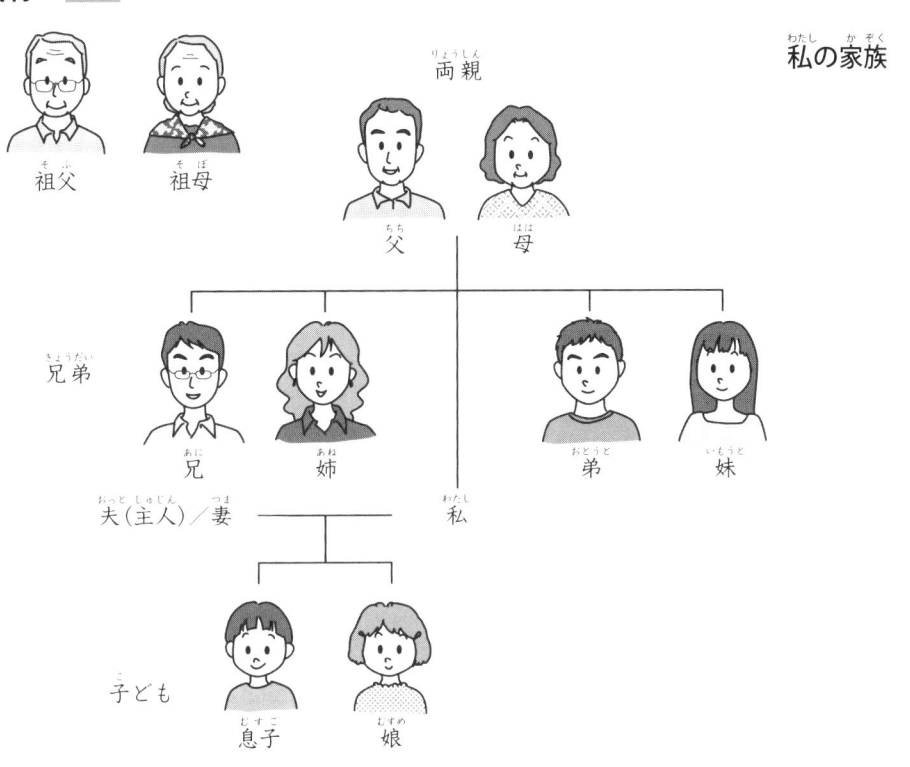

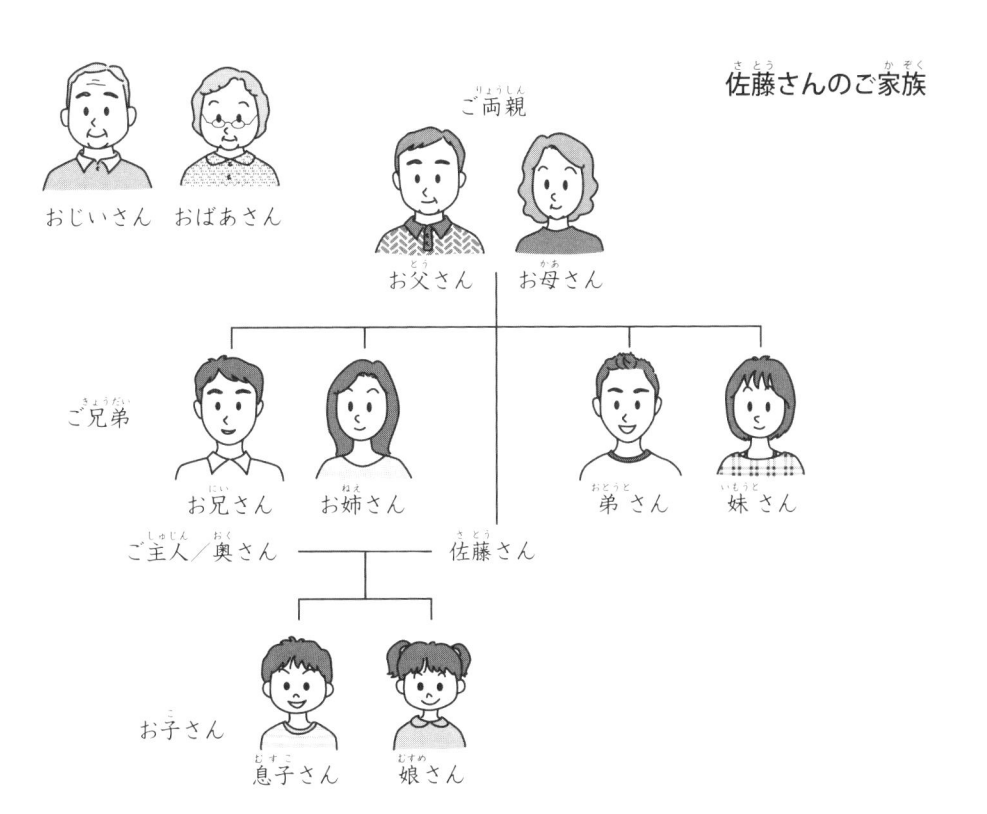

# 親族名称(しんぞくめいしょう) 8課

## 私(わたし)の家族(かぞく)

両親(りょうしん)

- 祖父(そふ)
- 祖母(そぼ)
- 父(ちち)
- 母(はは)

兄弟(きょうだい)
- 兄(あに)
- 姉(あね)
- 弟(おとうと)
- 妹(いもうと)

夫(おっと)(主人(しゅじん))／妻(つま) ——— 私(わたし)

子(こ)ども
- 息子(むすこ)
- 娘(むすめ)

## 佐藤(さとう)さんのご家族(かぞく)

ご両親(りょうしん)

- おじいさん
- おばあさん
- お父(とう)さん
- お母(かあ)さん

ご兄弟(きょうだい)
- お兄(にい)さん
- お姉(ねえ)さん
- 弟(おとうと)さん
- 妹(いもうと)さん

ご主人(しゅじん)／奥(おく)さん ——— 佐藤(さとう)さん

お子(こ)さん
- 息子(むすこ)さん
- 娘(むすめ)さん

# 索引

**【凡例】**
- 本冊、別冊で出ている語を五十音順にしています。
- 語の横の数字は、何課のどのスモールトピックで出てきたかを表します。
- 「も」は「もう一度聞こう」、「話」は「話読聞書」を表します。
- 「来ます」「持って来ます」以外の3グループの動詞は、「勉強」という名詞でもあり「勉強します」という動詞でもあるため、「勉強・します」のように提示しています。

## あ

| | |
|---|---|
| あ（っ） | 1-3 |
| ああ | 6-1, 7-2 |
| 間 | 7-1 |
| 会います［会う］ | 5-1 |
| 青い | 13-2 |
| 赤い | 13-2 |
| 秋 | 3-2 |
| 開きます［開く］ | 14-1 |
| アクション | 9-1 |
| 開けます［開ける］ | 7-3 |
| あげます［あげる］ | 8-3 |
| 朝 | 3-3 |
| 朝ご飯 | 3-3 |
| あさって | 5-1 |
| 足 | 8-2 |
| 明日 | 5-1 |
| あそこ | 2-1 |
| 遊びます［遊ぶ］ | 6-3 |
| 温かい | 4-3 |
| 暖かい | 4-3 |
| 頭 | 11-1 |
| 頭がいい | 8-2 |
| 新しい | 4-2 |
| あちら | 2-1 |
| 熱い | 4-3 |
| 暑い | 4-3 |
| 集まります［集まる］ | 15-3 |
| 集めます［集める］ | 9-1 |
| 兄 | 8-1 |
| アニメ | 5-3 |
| 姉 | 8-1 |
| あの | 2-2 |
| あのう | 1-1 |
| アパート | 7-話 |
| 浴びます［浴びる］ | 12-2 |
| 危ない | 10-2 |
| 油 | 2-1 |
| 甘い | 4-3 |
| あまり | 4-3, 9-1 |
| 雨 | 4-3 |
| アメリカ | 1-1 |
| 洗います［洗う］ | 7-2 |
| ありがとうございます | 2-1 |
| あります［ある］ | 4-2, 6-1 |
| 歩いて | 4-1 |
| 歩きます［歩く］ | 10-3 |
| アルバイト | 3-2 |
| あれ | 2-2 |
| あれ？ | 14-1 |
| いい | 4-2 |
| いいえ | 1-1 |
| いいですね | 3-2, 6-1 |
| いいですよ | 7-2 |
| 言います［言う］ | 9-3 |
| 家 | 5-1 |
| 以下 | 14-2 |
| 行きます［行く］ | 3-2 |
| いくら | 2-2 |
| 居酒屋 | 6-2 |
| 医者 | 8-1 |
| 以上 | 12-2 |
| いす | 7-2 |
| 忙しい | 5-2 |
| 急ぎます［急ぐ］ | 15-2 |
| 痛い | 10-3 |
| いただきます | 14-1 |
| イタリア | 1-1 |
| イチゴ | 2-3 |
| 1日 | 5-話 |
| 1年 | 3-2 |
| 一年中 | 4-3 |
| いちばん | 6-2 |
| いつ | 1-2 |
| 1回も | 13-1 |
| 一緒に | 6-1 |
| いつでも | 14-3 |
| いつも | 9-1 |
| 田舎 | 14-3 |
| 犬 | 7-1 |
| イベント | 9-2 |
| 今 | 3-1 |
| います［いる］ | 7-1, 8-1 |
| 妹 | 8-1 |
| 妹さん | 8-1 |
| いらっしゃいませ | 2-1 |
| 入り口 | 10-3 |
| イルミネーション | 10-話 |
| 入れます［入れる］ | 7-2 |
| いろいろ（な） | 9-2 |
| インターネット | 3-3 |
| インド | 2-3 |
| インフォメーション | 2-1 |
| ううん | 11-3 |
| うーん | 14-3 |
| 上 | 7-1 |
| 受付 | 9-3 |
| うさぎ | 8-2 |
| 後ろ | 7-1 |
| 歌 | 7-3 |
| 歌います［歌う］ | 7-3 |
| うち | 3-3 |

290

| | | |
|---|---|---|
| うどん | 14-1 | |
| うなずきます［うなずく］ | 15-話 | |
| 海 | 3-2 | |
| 売ります［売る］ | 13-2 | |
| うるさい | 14-3 | |
| 上着 | 12-3 | |
| うん | 11-3 | |
| 運転・します［運転・する］ | 9-1 | |
| 運動・します［運動・する］ | 12-2 | |
| 絵 | 5-3 | |
| エアコン | 11-3 | |
| 映画 | 1-3 | |
| 映画館 | 6-2 | |
| 英語 | 2-3 | |
| ええ | 11-1 | |
| ええと | 10-1 | |
| 駅 | 4-1 | |
| 駅弁 | 13-話 | |
| えさ | 10-3 | |
| エスカレーター | 2-1 | |
| えっ | 3-2 | |
| エレベーター | 2-1 | |
| ～円 | 2-2 | |
| おいしい | 4-3 | |
| 大きい | 4-2 | |
| （～が）多い | 4-2 | |
| オーストラリア | 1-1 | |
| お母さん | 8-1 | |
| おかげさまで | 12-1 | |
| 起きます［起きる］ | 3-3 | |
| 置きます［置く］ | 7-2 | |
| 奥さん | 8-2 | |
| 送ります［送る］ | 8-3 | |
| 遅れます［遅れる］ | 10-2 | |
| お子さん | 8-1 | |
| お好み焼き | 6-3 | |

| | | |
|---|---|---|
| 教えます［教える］ | 7-2 | |
| 押します［押す］ | 10-2 | |
| おしゃれ（な） | 14-3 | |
| おすすめ | 13-話 | |
| お大事に | 12-1 | |
| 落ちます［落ちる］ | 15-3 | |
| 夫 | 8-1 | |
| 音 | 10-1 | |
| お父さん | 8-1 | |
| 弟 | 8-1 | |
| 弟さん | 8-1 | |
| 男の人 | 13-2 | |
| おととい | 5-1 | |
| おなか | 10-3 | |
| おなかがいっぱいです | 14-1 | |
| おなかがすきます［すく］ | 10-3 | |
| 同じ | 14-話 | |
| 同じですね | 1-も | |
| お兄さん | 8-1 | |
| お姉さん | 8-1 | |
| お願いします | 7-も | |
| お待たせ（しました） | 11-も | |
| 思い出 | 15-話 | |
| 思います［思う］ | 14-3 | |
| おもしろい | 5-2 | |
| 泳ぎます［泳ぐ］ | 9-1 | |
| 降ります［降りる］ | 9-3 | |
| オリンピック | 11-2 | |
| 終わります［終わる］ | 11-1 | |
| 音楽 | 1-3 | |
| 温泉 | 4-2 | |
| 女の人 | 13-2 | |

## か

| | | |
|---|---|---|
| カーテン | 10-2 | |
| カード | 8-3, 9-3 | |
| ～回 | 9-1 | |
| ～階 | 2-1 | |

| | | |
|---|---|---|
| 外国 | 11-2 | |
| 外国人登録証 | 9-3 | |
| 改札 | 7-1 | |
| 会社 | 3-3 | |
| 会社員 | 1-1 | |
| 会場 | 15-も | |
| 買います［買う］ | 3-3 | |
| 買い物・します［買い物・する］ | 5-1 | |
| カイロ | 14-1 | |
| 会話 | 11-1 | |
| 帰ります［帰る］ | 3-2 | |
| 顔 | 8-2 | |
| 書きます［書く］ | 7-2 | |
| 描きます［描く］ | 9-1 | |
| 学生 | 1-1 | |
| ～か月 | 9-1 | |
| かけます［かける］ | 7-3、13-2 | |
| 傘 | 8-3 | |
| （お）菓子 | 9-1 | |
| 貸します［貸す］ | 7-2 | |
| 歌手 | 6-2 | |
| 風 | 15-2 | |
| 風邪 | 5-2 | |
| 家族 | 5-1 | |
| 固い | 12-2 | |
| 勝ちます［勝つ］ | 15-1 | |
| ～月 | 1-2 | |
| かっこいい | 8-2 | |
| 学校 | 3-3 | |
| 角 | 10-1 | |
| （お）金 | 8-3 | |
| かばん | 2-2 | |
| かぶります［かぶる］ | 13-2 | |
| 髪 | 8-2 | |
| カメラ | 2-1 | |
| かゆい | 12-3 | |
| 通います［通う］ | 11-1 | |
| 辛い | 4-3 | |

| | | |
|---|---|---|
| カラオケ 6-1 | 教師 1-1 | 消します [消す] 11-3 |
| ～から来ました 4-話 | ～教室 9-2 | 化粧・します [化粧・する] 14-3 |
| ガラス 15-1 | 兄弟 8-1 | 結婚・します [結婚・する] 15-1 |
| 体 8-2 | 去年 5-2 | 結婚式 8-3 |
| 体にいい 12-2 | 嫌い (な) 5-3 | 玄関 14-2 |
| 借ります [借りる] 5-3 | 切ります [切る] 7-2 | 元気 (な) 8-2 |
| カレー 2-3 | きれい (な) 4-2 | ～語 2-3 |
| 川 4-2 | 銀行 3-1 | コアラ 10-3 |
| かわいい 8-2 | 緊張・します [緊張・する] 15-話 | 恋人 5-1 |
| 韓国 1-1 | 空気 14-3 | 公園 3-2 |
| 漢字 7-2 | 薬 10-1 | 高校 1-1 |
| 簡単 (な) 5-2 | 果物 3-3 | 高校生 8-1 |
| 乾杯 11-も | 口 8-2 | 交差点 10-1 |
| 観覧車 10-3 | 靴 2-1 | 紅茶 2-3 |
| 木 7-1 | 靴下 8-3 | 交通 14-3 |
| 黄色い 13-2 | (お) 国 1-1 | 後輩 8-2 |
| 消えます [消える] 15-3 | クマ 10-3 | 交番 7-1 |
| 聞きます [聞く] 3-3, 7-2 | 曇り 15-1 | 紅葉 13-1 |
| 聞こえます [聞こえる] 10-1 | 暗い 10-3 | 声 10-1 |
| 季節 6-2 | ～くらい 4-1 | コース 6-2 |
| 北 4-1 | クラシック 9-1 | コーヒー 2-3 |
| ギター 7-3 | クラスメイト 11-1 | ゴールデンウィーク 3-2 |
| きちんと 14-2 | ～クラブ 9-2 | 午後 3-1 |
| 喫煙所 2-1 | クリスマス 8-3 | ここ 2-1 |
| 喫茶店 2-1 | 車 4-1 | ご主人 8-2 |
| 切手 9-1 | くれます [くれる] 8-3 | 午前 3-1 |
| きっと 15-2 | 黒い 8-2 | こたつ 14-1 |
| 切符 13-話 | 経験・します [経験・する] 14-3 | ごちそうさまでした 14-1 |
| 昨日 5-1 | 経済 8-も | こちら 2-1 |
| 来ます [来る] 3-3 | 携帯電話 2-1 | こちらこそ 1-1 |
| 着ます [着る] 13-2 | 毛糸 13-も | こちらへどうぞ 2-も |
| 気持ちがいい 5-2 | ケーキ 2-1 | コップ 7-2 |
| 気持ちが悪い 12-1 | ゲーム 5-1 | こと 12-2 |
| (お) 客 (さん) 10-2 | けが 12-1 | 今年 5-3 |
| キャベツ 12-話 | 今朝 5-2 | 子ども 8-1 |
| 牛肉 2-3 | 景色 5-3 | この 2-2 |
| 牛乳 3-3 | 消しゴム 2-1 | ご飯 2-3 |
| 今日 5-1 | | |
| 教会 4-2 | | |

| | | |
|---|---|---|
| ごみ | 10-2 | |
| 混みます [混む] | 15-2 | |
| 米 | 2-1 | |
| コメディー | 6-2 | |
| ごめん | 11-3 | |
| これ | 2-2 | |
| これから | 11-話 | |
| 怖い | 15-1 | |
| 壊れます [壊れる] | 15-3 | |
| 今月 | 6-1 | |
| コンサート | 6-1 | |
| 今週 | 6-1 | |
| コンタクトレンズ | 12-3 | |
| コンテスト | 9-2 | |
| 今度 | 5-3 | |
| 今晩 | 5-3 | |
| コンビニ | 3-3 | |

## さ

| | |
|---|---|
| サービス | 13-1 |
| ～歳 | 1-2 |
| 最近 | 9-1 |
| 最後 | 15-話 |
| 財布 | 2-3 |
| 材料 | 13-3 |
| 探します [探す] | 10-1 |
| 魚 | 2-3 |
| 作文 | 11-1 |
| 桜 | 3-2 |
| (お)酒 | 3-2 |
| ～冊 | 9-1 |
| サッカー | 1-3 |
| 雑誌 | 11-1 |
| 砂糖 | 7-2 |
| 寂しい | 11-1 |
| 寒い | 4-3 |
| (お)皿 | 7-2 |
| サラダ | 3-3 |
| サル | 10-3 |

| | |
|---|---|
| 触ります [触る] | 14-1 |
| ～さん | 1-1 |
| 参加・します [参加・する] | 9-2 |
| サングラス | 13-2 |
| 残念(な) | 6-1 |
| 散歩・します [散歩・する] | 11-1 |
| 字 | 14-1 |
| ～時 | 3-1 |
| 試合 | 6-1 |
| シートベルト | 14-2 |
| ジェットコースター | 13-2 |
| 塩 | 7-2 |
| 時間 | 3-1 |
| ～時間 | 4-1 |
| ～時間半 | 4-1 |
| 時給 | 14-3 |
| 事故 | 15-1 |
| (お)仕事 | 1-1 |
| 辞書 | 8-3 |
| 地震 | 15-1 |
| 静か(な) | 4-2 |
| 下 | 7-1 |
| 自転車 | 5-3 |
| 自動販売機 | 7-1 |
| 死にます [死ぬ] | 15-1 |
| 芝生 | 10-も |
| ～時半 | 3-1 |
| 自分で | 12-2 |
| します [する] | 3-2, 13-2 |
| 閉まります [閉まる] | 15-3 |
| 閉めます [閉める] | 7-3 |
| じゃ | 2-2 |
| 社員 | 1-1 |
| 写真 | 5-3 |
| ジャズ | 6-2 |
| シャツ | 13-2 |
| シャワー | 12-2 |

| | |
|---|---|
| 自由 | 14-3 |
| ～週間 | 9-1 |
| 習慣 | 14-話 |
| 集合・します [集合・する] | 10-2 |
| ジューサー | 12-話 |
| 住所 | 9-3 |
| ジュース | 2-3 |
| 週末 | 5-1 |
| 授業 | 3-1 |
| 宿題 | 9-3 |
| 趣味 | 1-3 |
| 準備・します [準備・する] | 12-3 |
| 小説 | 9-1 |
| 小学生 | 11-2 |
| 少々お待ちください | 2-も |
| 上手(な) | 8-2 |
| 上手に | 9-2 |
| しょうゆ | 7-2 |
| ジョギング | 11-1 |
| 食事・します [食事・する] | 5-1 |
| 食欲 | 12-1 |
| 食券 | 14-1 |
| ショッピングモール | 10-話 |
| 書道 | 9-2 |
| 処方箋 | 12-も |
| 知ります [知る] | 13-1 |
| (お)城 | 4-2 |
| 白い | 8-2 |
| ～人 | 1-1 |
| 新幹線 | 4-1 |
| 信号 | 10-1 |
| 神社 | 4-2 |
| 親切(な) | 8-2 |
| 新鮮(な) | 13-2 |
| 心配(な) | 15-1 |
| 新聞 | 3-3 |

293

| | | |
|---|---|---|
| 水泳 1-3 | 先生 1-1 | 大切（な） 10-2 |
| 吸います［吸う］ 7-3 | 全然 9-1 | たいてい 11-1 |
| 睡眠 12-2 | 洗濯・します［洗濯・する］ 5-1 | 台所 7-3 |
| スーパー 2-1 | | ダイビング 9-2 |
| スープ 2-3 | 先輩 8-2 | 台風 15-1 |
| スカート 13-2 | 全部 6-2 | 大変（な） 5-2 |
| 好き（な） 5-3 | ソース 6-話 | 倒れます［倒れる］ 15-1 |
| スキー 3-2 | ゾウ 10-3 | 高い 4-2, 5-2 |
| すきます［すく］ 15-3 | 掃除・します［掃除・する］ 5-1 | たくさん 7-2 |
| すき焼き 6-3 | | だけ 9-1 |
| （～が）少ない 4-2 | そうしましょう 6-3 | 出します［出す］ 7-2, 12-2, 12-3 |
| スケジュール 3-2 | そうですか 1-1 | ～たち 10-3 |
| すごい 9-2 | そうですね 4-3 | 立ちます［立つ］ 10-2 |
| 少し 4-3 | そうですねえ 6-2 | 楽しい 5-2 |
| （お）すし 3-2 | そうなんですか 14-2 | 楽しみです 6-も |
| 涼しい 4-3 | そこ 2-1 | たばこ 7-3 |
| すっぱい 4-3 | そして 4-2 | たぶん 15-2 |
| 素敵（な） 8-も | そちら 2-1 | 食べ放題 6-2 |
| 捨てます［捨てる］ 10-2 | そっか 11-3 | 食べます［食べる］ 3-2 |
| ストラップ 15-2 | 卒業・します［卒業・する］ 11-2 | 食べ物 6-2 |
| スピーチ 15-話 | | 卵 2-1 |
| スプーン 7-2 | 外 7-1 | 誰 2-3 |
| スポーツ 1-3 | その 2-2 | 誕生日 1-2 |
| ズボン 2-2 | そば 14-1 | ダンス 9-2 |
| 住みます［住む］ 8-1 | 祖父 11-2 | だんだん 11-2 |
| すみません 1-1, 6-1 | それ 2-2 | 小さい 4-2 |
| すみませんが 7-2 | それから 5-1 | チーズ 3-3 |
| 相撲 13-1 | それで 11-2 | チーム 15-1 |
| 座ります［座る］ 10-2 | それはいけませんね 12-1 | 地下 2-1 |
| 生活 11-1 | それはよかったですね 5-も | 近い 6-2 |
| 制服 14-2 | そろそろ 10-3 | 近く 7-1 |
| セール 6-1 | | 地下鉄 6-2 |
| 背が高い 8-2 | ## た | チケット 6-1 |
| 席 15-2 | タイ 1-1 | 地図 6-1 |
| 説明書 12-3 | 体育館 3-1 | 父 8-1 |
| ぜひ 6-3 | ～大会 15-1 | （お）茶 2-3 |
| 先月 5-2 | 大学 1-1 | 茶色い 8-2 |
| 選手 11-2 | 大学生 8-1 | 中学生 11-2 |
| 先週 5-1 | 大丈夫（な） 12-1 | |

| | | |
|---|---|---|
| 中国 | 1-1 | |
| 中止 | 15-1 | |
| 注文をお願いします | 2-3 | |
| 駐輪場 | 14-も | |
| 調子 | 12-1 | |
| チョコレート | 8-3 | |
| ちょっと | 10-1 | |
| ～つ | 2-3 | |
| ツアー | 6-2 | |
| 使います［使う］ | 7-2 | |
| 疲れます［疲れる］ | 10-3 | |
| つきます［つく］ | 14-1 | |
| 作ります［作る］ | 5-1 | |
| つけます［つける］ | 11-3 | |
| 妻 | 8-1 | |
| 冷たい | 4-3 | |
| ～つ目 | 10-1 | |
| 強い | 15-2 | |
| 釣り | 9-1 | |
| （お）釣り | 14-1 | |
| 手 | 10-2 | |
| 手伝います［手伝う］ | 7-2 | |
| デート・します［デート・する］ | 13-1 | |
| テーブル | 7-2 | |
| 出かけます［出かける］ | 12-2 | |
| 手紙 | 8-3 | |
| できます［できる］ | 9-2, 15-1 | |
| できるだけ | 12-2 | |
| 出口 | 10-3 | |
| デザイン | 14-3 | |
| テスト | 3-1 | |
| テニス | 1-3 | |
| デパート | 5-1 | |
| 手袋 | 13-も | |
| 出ます［出る］ | 14-1 | |
| でも | 9-1 | |
| （お）寺 | 4-2 | |
| テレビ | 3-3 | |

| | | |
|---|---|---|
| 店員 | 2-1 | |
| 天気 | 5-2 | |
| 電気 | 14-1 | |
| 天気がいい | 4-3 | |
| 天気が悪い | 4-3 | |
| 電気製品 | 13-2 | |
| 電子辞書 | 2-1 | |
| 電車 | 4-1 | |
| 電子レンジ | 7-2 | |
| 店長 | 11-1 | |
| 電話 | 7-3 | |
| 電話・します［電話・する］ | 8-3 | |
| 電話番号 | 9-3 | |
| ～度 | 12-1 | |
| ドア | 14-1 | |
| ドイツ | 2-3 | |
| トイレ | 2-1 | |
| トイレットペーパー | 2-1 | |
| どう | 4-3 | |
| 唐辛子 | 14-1 | |
| どうして | 5-2 | |
| どうぞ | 2-3 | |
| 動物園 | 10-3 | |
| どうも | 2-1 | |
| どうやって | 9-3 | |
| 遠い | 6-2 | |
| 都会 | 14-3 | |
| ときどき | 9-1 | |
| 読書 | 1-3 | |
| 特に | 9-1 | |
| 時計 | 2-2 | |
| どこ | 2-1 | |
| どこか | 13-3 | |
| どこか（へ） | 5-1 | |
| どこ（へ）も | 3-3 | |
| ところ | 4-2 | |
| 図書館 | 3-1 | |
| どちら | 1-1, 6-2 | |

| | | |
|---|---|---|
| どちらも | 6-2 | |
| 特急電車 | 13-話 | |
| とても | 4-3 | |
| 隣 | 7-1 | |
| どの | 7-2 | |
| どのくらい | 4-1 | |
| 飛びます［飛ぶ］ | 10-3 | |
| トマト | 12-話 | |
| 泊まります［泊まる］ | 13-2 | |
| 止まります［止まる］ | 15-1 | |
| 止めます［止める］ | 14-2 | |
| 友達 | 5-1 | |
| ドライブ | 6-1 | |
| ドラマ | 9-1 | |
| 鳥 | 10-3 | |
| 鶏肉 | 2-3 | |
| 撮ります［撮る］ | 5-3 | |
| 取ります［取る］ | 7-2 | |
| どれ | 7-2 | |
| とんかつ | 2-3 | |
| どんな | 4-2 | |

### な

| | | |
|---|---|---|
| ナイフ | 7-2 | |
| 治ります［治る］ | 12-1 | |
| 中 | 7-1 | |
| 長い | 8-2 | |
| なかなか | 11-1 | |
| なくします［なくす］ | 10-2 | |
| なくなります［なくなる］ | 14-話 | |
| 亡くなります［亡くなる］ | 15-1 | |
| 夏 | 3-2 | |
| 何 | 3-2 | |
| 何か | 8-3 | |
| 何も | 3-3 | |
| （お）名前 | 1-1 | |
| 習います［習う］ | 9-2 | |

295

| | | |
|---|---|---|
| 並びます [並ぶ] ……… 14-2 | 登ります [登る] ……… 5-2 | 花火 ……… 3-2 |
| なります [なる] ……… 10-3 | 飲み会 ……… 12-1 | （お）花見 ……… 3-2 |
| 慣れます [慣れる] ……… 11-1 | 飲みます [飲む] ……… 3-2, 10-1 | 母 ……… 8-1 |
| 何 ……… 1-3 | 飲み物 ……… 6-2 | 早い ……… 6-2 |
| 何回も ……… 13-1 | 乗ります [乗る] ……… 9-2 | 早く ……… 12-1 |
| なんと ……… 15-話 | | 払います [払う] ……… 9-3 |
| 苦い ……… 4-3 | **は** | 春 ……… 3-2 |
| にぎやか（な）……… 4-2 | 歯 ……… 12-1 | 晴れます [晴れる] ……… 15-2 |
| 肉 ……… 2-3 | パーセント ……… 15-2 | バレンタインデー ……… 8-3 |
| 西 ……… 4-1 | パーティー ……… 3-2 | パン ……… 2-1 |
| ～日 ……… 1-2 | バーベキュー ……… 3-2 | ～番 ……… 9-3 |
| ～日 ……… 9-1 | はい ……… 1-1 | 番組 ……… 14-3 |
| ～について ……… 14-3 | ～杯 ……… 9-1 | 晩ご飯 ……… 5-2 |
| 日記 ……… 11-1 | バイク ……… 14-2 | パンダ ……… 10-3 |
| 日本 ……… 1-1 | 歯医者 ……… 12-2 | ハンバーグ ……… 2-3 |
| 日本語学校 ……… 1-1 | 入ります [入る] ……… 5-2, 9-2, 10-2 | パンフレット ……… 10-2 |
| 荷物 ……… 10-2 | はきます [はく] ……… 13-2 | 日 ……… 4-3 |
| 入院・します [入院・する] ……… 15-1 | はし ……… 7-2 | ピアノ ……… 8-1 |
| 入学・します [入学・する] ……… 11-2 | 橋 ……… 10-1 | ビール ……… 2-3 |
| 入場料 ……… 14-2 | 始まります [始まる] ……… 15-1 | 東 ……… 4-1 |
| ニュース ……… 11-3 | 初め ……… 11-1 | ～匹 ……… 8-1 |
| ～人 ……… 8-1 | 初めて ……… 11-2 | ～引き ……… 15-2 |
| 人気 ……… 13-2 | はじめまして ……… 1-1 | ひきます [ひく] ……… 11-1 |
| ニンジン ……… 12-話 | 始めます [始める] ……… 11-2 | 弾きます [弾く] ……… 7-3 |
| 脱ぎます [脱ぐ] ……… 12-3 | 場所 ……… 13-3 | 低い ……… 4-2 |
| 塗ります [塗る] ……… 12-2 | 走ります [走る] ……… 12-3 | 飛行機 ……… 4-1 |
| ネクタイ ……… 13-2 | バス ……… 3-2 | ピザ ……… 7-3 |
| 猫 ……… 8-1 | バスタブ ……… 14-話 | 美術館 ……… 5-1 |
| 熱 ……… 12-1 | バスケットボール ……… 13-3 | 左 ……… 10-1 |
| ネックレス ……… 8-3 | バス停 ……… 7-1 | びっくり ……… 14-話 |
| 寝ます [寝る] ……… 3-3 | パスポート ……… 14-2 | 引っ越し・します [引っ越し・する] ……… 11-3 |
| 眠い ……… 11-1 | パソコン ……… 2-1 | 人 ……… 4-2 |
| ～年 ……… 9-1 | 働きます [働く] ……… 3-3 | 一人暮らし ……… 11-1 |
| ノート ……… 8-3 | 花 ……… 7-1 | 1人で ……… 5-1 |
| のど ……… 12-1 | 鼻 ……… 8-2 | 暇（な）……… 5-2 |
| のどがかわきます [かわく] ……… 10-3 | 話 ……… 9-話 | 100円ショップ ……… 2-1 |
| | 話します [話す] ……… 7-3 | 病院 ……… 3-1 |
| | バナナ ……… 10-3 | 病気 ……… 12-1 |

| | | |
|---|---|---|
| ひらがな ……… 11-1 | ホームステイ ……… 3-2 | 回します [回す] ……… 14-1 |
| 昼 ……… 3-1 | ホール ……… 15-話 | 漫画 ……… 9-1 |
| ビル ……… 4-2 | ボール ……… 10-3 | 真ん中 ……… 4-1 |
| 昼ご飯 ……… 3-3 | 他 ……… 10-2 | 見えます [見える] ……… 10-1 |
| 広い ……… 6-2 | ポケット ……… 14-1 | 磨きます [磨く] ……… 12-3 |
| ファストフード ……… 14-3 | 保険証 ……… 12-3 | 右 ……… 10-1 |
| ファッション ……… 14-3 | ほしい ……… 5-3 | 短い ……… 8-2 |
| 風鈴 ……… 14-1 | ポスト ……… 7-1 | 水 ……… 2-1 |
| プール ……… 9-1 | ホストファミリー ……… 14-話 | 水着 ……… 6-1 |
| フォーク ……… 7-2 | ボタン ……… 14-1 | (お)店 ……… 13-2 |
| 服 ……… 5-2 | ポップス ……… 9-1 | 見せます [見せる] ……… 9-3 |
| 複雑(な) ……… 14-3 | ホテル ……… 13-1 | 道 ……… 10-1 |
| 豚肉 ……… 2-3 | ほら ……… 14-2 | 緑 ……… 4-2 |
| 布団 ……… 14-1 | 本 ……… 2-1 | 皆さん ……… 10-2 |
| 不便(な) ……… 14-3 | ～本 ……… 9-1 | 南 ……… 4-1 |
| 冬 ……… 3-2 | 本当 ……… 15-1 | 身分証 ……… 14-2 |
| ブラジル ……… 1-2 | 本当だ ……… 10-3 | 見ます [見る] ……… 3-2 |
| フランス ……… 2-3 | | 耳 ……… 8-2 |
| フリープラン ……… 14-3 | **ま** | (お)土産 ……… 10-2 |
| フリーマーケット ……… 15-1 | ～枚 ……… 6-1 | ミュージカル ……… 9-話 |
| 降ります [降る] ……… 15-1 | 毎朝 ……… 3-3 | みんなで ……… 13-3 |
| 古い ……… 4-2 | 毎週 ……… 11-1 | 迎えに行きます [迎えに行く] |
| プレゼント ……… 8-3 | 毎日 ……… 3-3 | ……… 7-1 |
| (お)風呂 ……… 12-3 | 毎晩 ……… 3-3 | 昔 ……… 15-1 |
| ～分 ……… 3-1, 4-1 | 前 ……… 7-1 | 難しい ……… 5-2 |
| ～分 ……… 13-話 | 曲がります [曲がる] ……… 10-1 | 息子 ……… 8-1 |
| 平日 ……… 11-1 | 負けます [負ける] ……… 15-1 | 娘 ……… 8-1 |
| へえ ……… 3-2 | まじめ(な) ……… 8-2 | 無料 ……… 15-1 |
| 下手(な) ……… 8-2 | また ……… 11-3 | 目 ……… 8-2 |
| ペット ……… 8-1 | まだ ……… 6-3 | 迷惑(な) ……… 10-2 |
| 部屋 ……… 5-1 | また今度 ……… 6-1 | メール ……… 8-3 |
| ヘルメット ……… 14-2 | 町 ……… 4-1 | 眼鏡 ……… 13-2 |
| ペン ……… 2-1 | 待合室 ……… 12-3 | メニュー ……… 2-も |
| 勉強・します [勉強・する] | 待ち合わせ ……… 10-も | メロン ……… 4-3 |
| ……… 3-3 | 待ちます [待つ] ……… 12-3 | 申し込みます [申し込む] |
| ペンギン ……… 10-3 | まっすぐ ……… 10-1 | ……… 9-2 |
| (お)弁当 ……… 3-2 | (お)祭り ……… 3-2 | もう ……… 6-3 |
| 便利(な) ……… 14-3 | 窓 ……… 7-3 | もうすぐ ……… 8-3 |
| 帽子 ……… 13-2 | 間に合います [間に合う] ……… 15-2 | もし ……… 15-2 |

297

もしもし……………………7-1
持ちます［持つ］………………7-3
持って行きます［持って行く］
　………………………………7-2
持って帰ります［持って帰る］
　………………………………10-2
持って来ます［持って来る］
　………………………………7-3
もの………………………………12-2
もらいます［もらう］…………8-3

## や

〜屋………………………………2-1
焼き肉……………………………6-2
野球………………………………6-1
薬剤師……………………………12-3
約束………………………………6-1
やけど……………………………12-2
野菜………………………………2-3
優しい……………………………8-2
安い………………………………5-2
休み………………………………3-1
休みます［休む］……10-3, 11-1
薬局………………………………12-3
山…………………………………4-2
やみます［やむ］………………15-2
やります［やる］………………10-3
柔らかい…………………………12-2
（お）湯…………………………14-1
遊園地……………………………13-2
夕方………………………………15-1
郵便局……………………………3-1
有名（な）………………………4-2
浴衣………………………………13-3
雪…………………………………4-3
湯たんぽ…………………………14-1
ゆっくり…………………………12-2
用事………………………………6-1
〜曜日……………………………3-1

よかった…………………………6-も
よかったですね…………………8-3
よく…………………………9-1, 10-1
横…………………………………7-1
横になります［横になる］12-3
汚れます［汚れる］……………15-3
読みます［読む］………………3-3
予約・します［予約・する］
　………………………………9-3
夜…………………………………3-3
よろしくお願いします…………1-1

## ら

ラーメン…………………………6-2
来月………………………………6-1
来週………………………………6-1
ライス……………………………2-3
来年………………………………5-3
留学生……………………………3-2
寮…………………………………5-も
料金………………………………14-2
両親………………………………8-1
料理…………………………1-3, 2-3
〜料理……………………………9-1
旅行………………………………1-3
リンゴ……………………………2-3
ルームメイト……………………5-1
冷蔵庫……………………………7-2
レジ………………………………2-1
レストラン………………………2-1
レバー……………………………14-1
練習・します［練習・する］
　………………………………13-3
ロシア……………………………1-1

## わ

わあ………………………………6-1
ワールドカップ…………………11-も
ワイン……………………………2-3

若い………………………………13-2
わかりました……………………6-3
わかります［わかる］…………7-2
別れます［別れる］……………11-2
分けます［分ける］……………14-2
忘れてます［忘れる］…………11-1
私…………………………………1-1
私もそう思います………………14-3
渡ります［渡る］………………10-1
笑います［笑う］………………14-話
悪い………………………………12-1
割れます［割れる］……………15-1

## A

ATM………………………………2-1
CD…………………………………3-3
DVD………………………………3-3
Tシャツ…………………………2-2

# シラバス一覧

| 課 | タイトル | 行動目標 | ST | STタイトル | できること | 学習項目 |
|---|---|---|---|---|---|---|
| 1 | はじめまして | 簡単に自分のこと（名前・国・趣味など）を話したり相手のことを聞いたりすることができる | 1 | 私の名前・国・仕事 | 自分の名前・国・仕事を言ったり相手に聞いたりすることができる | 私は［名前］です／［国］人です／お国はどちらですか／お仕事は［仕事］です／はい、［仕事］です　いいえ、［仕事］じゃありません／NのN |
| | | | 2 | 私の誕生日 | 年齢を言うことができる。誕生日を言ったり聞いたりすることができる | ～歳です／いつ／～月～日 |
| | | | 3 | 私の趣味 | 趣味を言ったり聞いたりすることができる | 何ですか／NとN／Nも |
| 2 | 買い物・食事 | お店の人や友達と簡単なやりとりをして、買い物をしたり料理の注文をしたりすることができる | 1 | どこですか | 自分が買いたい物がどこにあるか聞くことができる | 何階ですか　階数の言い方／～はどこですか　ここ・そこ・あそこ　こちら・そちら・あちら／この N・その N・あの N　これ・それ・あれ |
| | | | 2 | いくらですか | 自分が買いたい物の値段を聞くことができる | ～はいくらですか／Nをください |
| | | | 3 | レストラン | レストランで注文することができる。また、忘れ物の持ち主が誰か聞くことができる | 何のN／［言語］で／どこのN／Nを（一つ）ください／誰のN |
| 3 | スケジュール | これからの生活や周りの人との関係づくりのために、予定を聞いたり身近なことを話したりすることができる | 1 | 何時までですか | 公共施設に開館時間や休館日などを問い合わせることができる | 今、何時ですか　時間の言い方／［時間］から［時間］まで です／何曜日ですか　曜日の言い方 |
| | | | 2 | 私のスケジュール | 学校の1年のスケジュールについて質問したり、自分の1年の予定を話したりすることができる | Vます（予定）／～を Vます／［場所］へ Vません |
| | | | 3 | どんな毎日？ | 日常生活について話したり質問したりすることができる | Vます（習慣）／［場所］で Vます／N や N など／何も Vません／［時間］に／［時間］から［時間］まで Vます／どこへも行きません |

| 課 | タイトル | 行動目標 | ST | STタイトル | できること | 学習項目 |
|---|---|---|---|---|---|---|
| 4 | 私の国・町 | 簡単に自分の出身地について友達や周りの人に紹介することができる | 1 | どこ？ | 自分の国・町の位置や日本までの時間などを言ったり相手に質問することができる | [国]の[方角・位置] [場所]から[場所]までどのくらいですか ～時間 [交通手段]で ～はAです |
| | | | 2 | どんなところ？ | 自分の国や町がどんなところか話したり相手に質問することができる | イAくないです イА・ナAじゃありません ～はA＋Nです どんなN [場所]に～があります そして ～が、～ |
| | | | 3 | 季節・料理 | 自分の国・町の気候や料理について話したり質問することができる | ～ね（共感） ～は[春・〇月・一年中……]、Aです とても・あまり～ない ～は どうですか 味覚の語彙 |
| 5 | 休みの日 | 休みの日の出来事や予定について友達や周りの人と簡単に話すことができる | 1 | 週末 | 休みの日にしたことについて話したり質問したりすることができる | Vましたか Vませんでした どこかへ行きましたか [人]と それから |
| | | | 2 | 休みの後で | 休みの日の感想を話すことができる | イAかったです イAくなかったです ナA・Nでした ナA・Nじゃありませんでした どうして～から |
| | | | 3 | 今度の休みに | 休みの日に何をするか話したり質問したりすることができる | Nがほしいです Nが好きです Nが嫌いです Vたいです ～へ～に行きます |
| 6 | 一緒に！ | 友達を誘ったり、行きたいところをやりたいことを一緒に相談したりして、約束することができる | 1 | 一緒に行きませんか | 友達を誘うことができる。また、誘いを受けたり断ったりすることができる | Vませんか Vましょう ～はちょっと… [場所]で～があります ～が（～枚）あります |
| | | | 2 | どちらがいいですか | 友達の意向を聞いたり情報を比べたりしながら相談することができる | ～がいちばんAです ～と～とどちらがAですか ～のほうがAです ～は～よりAです |
| | | | 3 | 約束 | 会う場所や時間などを約束することができる | もうVましたか（経験） まだです ～はどうですか ～ね（確認） |

300

| # | ユニット | ユニットCan-do | # | トピック | トピックCan-do | 文型・表現 |
|---|---|---|---|---|---|---|
| 7 | 友達の家で | 周りの状況を簡単に友達に伝えることができる。また、何かを頼んだりしたりしながら、一緒に行動することができる | 1 | 道がわかりません | 迷子になったとき、行きたい場所がどこにあるか質問したり、自分がどこにいるか言ったりすることができる | ～がーにあります<br>～はーにいます<br>ーにーがあります・います<br>Vてください<br>[道具]で<br>(Nの)V方<br>どのN<br>どれ |
| | | | 2 | パーティーの準備 | パーティーの準備をしているとき、何か頼んだり指示したりすることができる | Vています（動作の進行）<br>Vましょうか<br>誰が<br>まだありますか もうありません |
| | | | 3 | みんなで楽しいパーティー | パーティーのとき、自分から手伝いを申し出たり、食べ物などをすすめたりすることができる | ～に住んでいます<br>[人]と(～人)で住んでいます<br>～が(～人・匹)います<br>Vています（職業） |
| 8 | 大切な人 | 簡単に自分の家族や友達について友達や周りの人に紹介することができる | 1 | 家族・友達 | 家族や友達の人数やどこに住んでいるかなどを話すことができる | Nが下手です・Nが上手です<br>～は～がAです<br>イAくて、～<br>ナA・Nで、～ |
| | | | 2 | こんな人 | 家族や友達がどんな人か話すことができる | あげます<br>もらいます<br>くれます |
| | | | 3 | プレゼント | 友達にあげるプレゼントについて相談したり、自分がもらったプレゼントについて話したりすることができる | Vることです<br>いつも・よく・ときどき・あまり・全然<br>[期間]に[～回・冊・本] 助数詞 |
| 9 | 好きなこと | サークルや交流イベントに参加したとき、自分の好みや趣味を話したり相手に質問したりすることができる | 1 | いろいろな趣味 | 趣味について話したり質問したりすることができる | Nができます Vることができます（能力） |
| | | | 2 | できること・できないこと | 情報をもとに、できることやできないことを話すことができる | Vで、～<br>Nで、どうやって |
| | | | 3 | 楽しい週末 | 休みの日にしたことについて話すことができる。また、自分が知っていることの手順を説明することができる | もうVましたか（完了）<br>まだVていません<br>Vてきます<br>Nが見えます・Nが聞こえます<br>[場所]を |
| 10 | バスツアー | 大勢の人と行動するために、状況に応じて簡単な質問をすることや、指示を理解して行動することができる | 1 | 集合 | 集合場所への行き方がわからなくなったとき、友達に電話で聞いて行くことができる。また、出発までの簡単な手順を説明することができる | ～でもいいですか<br>Vないでください<br>Nは（取り立て） |
| | | | 2 | いろいろな注意 | 公共の場所で注意をしたり、許可を求めたり質問することができる | ～ができます Vることができます ナA・Nになります |
| | | | 3 | 動物園で | 周りの状況に応じて行動を提案することができる。また、施設にどんなサービスがあるか質問することができる | Nができます Vることができます ナA・Nになります<br>イAくて、～ |

| 課 | タイトル | 行動目標 | ST | STタイトル | できること | 学習項目 |
|---|---|---|---|---|---|---|
| 11 | 私の生活 | 自分の生活や身近な話題について友達や周りの人と話すことができる | 1 | 今の生活 | 今の生活について話したり質問したりすることができる | 〜は〜が、〜は（対比）<br>Vています<br>VたりVたりします<br>〜とき、Vます<br>どうしますか |
| | | | 2 | 今の私・前の私 | 今までの自分のことについて簡単に話したり質問したりすることができる | 〜とき、Vました |
| | | | 3 | 友達と | 友達と「友達言葉」を使って話すことができる | 友達言葉 |
| 12 | 病気・けが | 体調について友達や周りの人と簡単に話すことができる。また、病院で簡単なやりとりをすることができる | 1 | 体の調子 | 体調が悪くなったとき、症状を簡単に話して早退を申し出たり欠席の理由を言ったりすることができる | どうしたんですか 〜んです |
| | | | 2 | アドバイス | 体調がよくない友達に簡単に症状を聞いてアドバイスをすることができる | Vたほうがいいです Vないほうがいいです |
| | | | 3 | 病院で | 病院で簡単に症状を話したり医者の指示を聞いたりすることができる | 〜から、〜<br>Vた前に、〜<br>Vる前に、〜 |
| 13 | 私のおすすめ | 生活を楽しく便利にするために、身近な役立つ情報ややおすすめの情報を友達とやりとりすることができる | 1 | 経験から | 友達の経験から自分が知りたい情報を得たり、自分の経験を友達に話したりすることができる | Vたことがあります<br>知っていますか 知りません<br>NというN |
| | | | 2 | おすすめします | おすすめの物、場所、人について話すことができる | 〜は［名詞修飾］です<br>［名詞修飾］を〜Vます<br>［名詞修飾］は〜 |
| | | | 3 | 教えてください | 自分が知りたい情報を得るために、質問することができる | |
| 14 | 国の習慣 | 異なる文化の中で楽しく生活するために、習慣・文化・ルールを知り、自分の意見を簡単に言うことができる | 1 | 初めて見た！初めて聞いた！ | 使い方がわからない人に簡単に使い方を説明することができる | Vると、〜と言います |
| | | | 2 | ルール・マナー | トラブルを未然に防ぐために、ルールやマナーなどを友達に言うことができる | Vてはいけません<br>Vなければなりません<br>Vなくてもいいです |
| | | | 3 | 私の意見 | 身近なことについて、自分の意見を友達に伝えたり相手の意見を聞いたりすることができる | 〜と思います（意見） |
| 15 | テレビ・雑誌から | ニュースや身近な情報を友達や周りの人に伝えることができる。また、それらの情報をもとに友達と一緒に行動することができる | 1 | これ、知ってる？ | テレビや雑誌などの情報の感想を友達に言ったり、誘ったりすることができる | 〜そうです（伝聞）<br>Nで（原因） |
| | | | 2 | 雑誌を見て町へ | 雑誌などの情報をもとに、いろいろな条件を考えながら友達と行動することができる | 〜たら<br>〜と思います（推量）<br>〜で〜 |
| | | | 3 | 町を歩いて | 出かけた先で、自分の周りの様子を簡単に話すことができる | Vています（結果の状態） |

■著作権
エンハンスドCDに収録された音声やPDFデータは、個人的あるいは教授目的で、複製・印刷したり、テストやプリントにコピーして使用することに限って販売されています。著作権者の許諾を得ずに複製、上映および公衆送信（自動公衆送信および送信可能化を含む）することは、法律の定める場合を除き禁止されています。

## できる日本語 初級 本冊

発行日　2011年4月7日（初版）
　　　　2018年5月22日（第9刷）

監　修　嶋田和子（一般社団法人アクラス日本語教育研究所）
著　者　できる日本語教材開発プロジェクト
　　　　澤田尚美（元イーストウエスト日本語学校）
　　　　高見彩子（イーストウエスト日本語学校）
　　　　立原雅子（イーストウエスト日本語学校）
　　　　濱谷愛（イーストウエスト日本語学校）
編　集　株式会社アルク出版編集部
　　　　田中美帆、立石恵美子（株式会社アルク）
　　　　坂井訓久、渡辺唯広、大橋由希（株式会社凡人社）
装丁・イラスト・本文デザイン・CDレーベルデザイン・本文DTP　岡村伊都
本文DTP・CDPDFデータ作成　ココ出版（田中哲哉）
トビラ写真撮影　坂本道浩

校　　正　岡田英夫
英語翻訳　Jon McGovern　　英語校正　田中晴美
中国語翻訳　張文麗　　中国語校正　文化空間株式会社（石暁宇）
韓国語翻訳　朴智慧　　韓国語校正　金海美

ナレーション　大山尚雄　神田和佳　麦穂杏奈　雨澤祐樹　小村彩香　藤本京　出口とうこ
CD効果音制作　Niwaty、POONTAWEE NATDANAI
CD音声編集　ログスタジオ
エンハンスドCD編集・プレス　ソニー・ミュージックコミュニケーションズ
印刷・製本　萩原印刷株式会社

写真素材提供協力　＊以下の企業・団体にご協力いただきました。
三井住友VISAカード株式会社　カルチュア・コンビニエンス・クラブ株式会社　全国健康保険協会　株式会社モルテン　ヨネックス株式会社　テルモ株式会社　日本コカ・コーラ株式会社

発行者　平本照麿
発行所　株式会社アルク
　　　　〒102-0073　東京都千代田区九段北4-2-6市ヶ谷ビル
　　　　TEL：03-3556-5501　FAX：03-3556-1370　Email：csss@alc.co.jp
　　　　Website：https://www.alc.co.jp/

＊落丁本、乱丁本は弊社にてお取り替えいたしております。アルクお客様センター（電話：03-3556-5501 受付時間：平日9時～17時）までご相談ください。本書の全部または一部の無断転載を禁じます。著作権法上で認められた場合を除いて、本書からのコピーを禁じます。定価はカバーに表示してあります。

製品サポート：https://www.alc.co.jp/usersupport/

©2011　Kazuko Shimada / Naomi Sawada / Saiko Takami / Masako Tachihara / Ai Hamatani / ALC PRESS INC.
Printed in Japan.
PC: 7008004
ISBN: 978-4-7574-1977-3

地球人ネットワークを創る
アルクのシンボル「地球人マーク」です。

## 「できる日本語」シリーズ

「できる日本語」は、日本語学校の現場教師(できる日本語教材開発プロジェクト)と2社の出版社の共同開発によって生まれました。

『できる日本語 初級 本冊』
監修　嶋田和子(一般社団法人アクラス日本語教育研究所)
著者　澤田尚美(元イーストウエスト日本語学校)
　　　高見彩子、立原雅子、濱谷 愛(イーストウエスト日本語学校)
編集　田中美帆、立石恵美子(株式会社アルク)
　　　坂井訓久、渡辺唯広、大橋由希(株式会社凡人社)

# 言ってみよう別冊

## あいさつ

どうぞ / ありがとうございます

すみません / いいえ

① おはようございます
② こんにちは
③ こんばんは

さようなら

# 第1課 はじめまして

## 1 私の名前・国・仕事

① 練習1

私はパクです。

練習2

A：お名前は？
B：ダニエルです。

② 私はワンです。中国人です。

③ 例) ロシア ⇒ A：お国はどちらですか。
　　　　　　　　B：ロシアです。

① 中国　② イタリア　③ タイ　④ アメリカ

④ 例)

⇒ 私は学生です。

① ②

⑤ 例) 私・会社員 ⇒ 私は会社員じゃありません。

① 私・教師
② 私・日本人
③ 私・ワン
④ カルロスさん・学生
⑤ パクさん・先生

6  例) 西川さん・ふじみ大学・学生 ⇒ 西川さんはふじみ大学の学生です。

① パクさん・日本語学校・学生
② 木村さん・高校・先生
③ メアリーさん・ＡＢＥ・社員
④ 私・(　　　　)・(　　　　)

## 2 私の誕生日

1  **練習1**

例) 32 ⇒ 32歳

① 24　② 20　③ 38　④ 29　⑤ 40

**練習2**

私は25歳です。

2  **練習1**

例) 6/13 ⇒ 6月13日

① 5/1　② 8/22　③ 1/4　④ 12/12
⑤ 2/9　⑥ 3/14　⑦ 9/22　⑧ 4/6

**練習2**

私の誕生日は9月8日です。

# 3 私の趣味

## 1

例) 私 🧳 ⇒ 私の趣味は旅行です。

① 私
② 私
③ 私
④ 私
⑤ パクさん
⑥ 山口さん

## 2

例) スポーツ・読書 ⇒ (私の)趣味はスポーツと読書です。

① 料理・旅行　② 水泳・テニス　③ サッカー・音楽　④ スポーツ・映画

## 3

例) ワンさん・料理／ナタポンさん
　　⇒ ワンさんの趣味は料理です。ナタポンさんの趣味も料理です。

① アンナさん・読書／マリヤムさん
② カルロスさん・音楽／西川さん
③ ダニエルさん・サッカー／マルコさん
④ パクさん・映画／木村さん

# 第2課 買い物・食事

## 1 どこですか

**1** 例) レストラン ⇒ レストランは5階です。

① 100円ショップ
② サカイ電器
③ 本屋
④ パン屋
⑤ 喫茶店
⑥ トイレ

| | ニコニコショッピングビル |
|---|---|
| 5階 | （料理） |
| 4階 | サカイでんき |
| 3階 | 100円ショップ |
| 2階 | （靴・服・本） |
| 1階 | （喫茶・ケーキ・ATM） |
| 地下1階 | スーパー |

**2-1**

例1) トイレはここです。
例2) 喫煙所はそこです。
例3) 靴屋はあそこです。

① ② ③ ④ ⑤

**2-2**

例1) カメラはここです。
例2) 米はそこです。
例3) 水はあそこです。

① ② ③ ④ ⑤

## 2 いくらですか

### 1 練習1

例) これは2,000円です。

① 1,500円
② 7,000円
③ 6,200円
④ 3,300円

### 練習2

例) それは15,000円です。

① 24,000円
② 9,800円
③ 4,900円
④ 5,600円

### 2

例) あのTシャツは3,000円です。

① 2,800円
② 5,000円
③ 14,000円
④ 6,000円

3

例) このTシャツをください。

① ② ③ ④

## 3 レストラン

1 例) 豚肉・カレー ⇒ これは豚肉のカレーです。

① イチゴ・ケーキ　② 野菜・ジュース　③ 魚・スープ
④ リンゴ・ジュース　⑤ 肉・野菜・料理　⑥ 鶏肉・卵・料理

2 例) これ・英語 ⇒ これは英語で何ですか。

① これ・日本語　② それ・英語　③ 「ぶたにく」・英語　④ 「egg」・日本語

3 例) アメリカ・ビール ⇒ これはアメリカのビールです。

① フランス・ワイン　② 日本・お茶　③ イタリア・靴　④ 韓国・パソコン

4 例) コーヒー(2) ⇒ コーヒーを2つください。

① パン(1)　② カレー(5)　③ 紅茶(3)
④ とんかつ(1)、ご飯(1)
⑤ ケーキ(4)、ジュース(2)、コーヒー(2)
⑥ ハンバーグ(3)、ライス(2)、パン(1)

5 例) 私・財布 ⇒ これは私の財布です。

① 私・かばん　② 私・カメラ
③ アンナさん・時計　④ 山口さん・携帯電話

# 第3課　スケジュール

## 1　何時までですか

[1] 例）1：10　⇒　1時10分

① 2：00　② 4：00　③ 5：00　④ 9：00
⑤ 8：05　⑥ 10：10　⑦ 7：15　⑧ 3：30

[2] 例）

さくら病院
9：30～15：00

⇒　さくら病院は9時半から3時までです。

① たいよう銀行
午前9時～午後3時

② さくら図書館
午前9：00～午後7：00

③ 授業
9時～13時

④ 休み時間
9：40～9：50

⑤ テスト
10：00～12：00

⑥ 昼休み
12：00～12：45

[3] 例）1日は日曜日です。

4月

| 日 | 月 | 火 | 水 | 木 | 金 | 土 |
|---|---|---|---|---|---|---|
| 1 | 2 | 3 | 4 | 5 | 6 | 7 |
| 8 | 9 | 10 | 11 | 12 | 13 | 14 |

例）1　①3　②6　③11　④14

# 2 私のスケジュール

## 1

4月

例) ⇒ お花見をします

5月    7月

①  ②  ③

8月    1月

④  ⑤  ⑥  ⑦

## 2

例) 富士山・行きます ⇒ 富士山へ行きます。

① 公園・行きます　② 海・行きます　③ 大阪・行きます
④ 北海道・行きます　⑤ 国・帰ります

## 3

例) 北海道へ行きます ⇒ 北海道へ行きません。

① スキーをします　② 国へ帰ります　③ おすしを食べます
④ お酒を飲みます　⑤ 花火を見ます　⑥ バーベキューをします

## 4

例) 横浜・花火 ⇒ 横浜で花火を見ます。

① 浅草・お祭り　② 海・バーベキュー
③ 公園・お弁当　④ 北海道・スキー
⑤ 京都・桜　　　⑥ レストラン・(　　　)
⑦ 公園・(　　　)

# 3 どんな毎日？

1  例) 毎朝・サラダ・食べます ⇒ 毎朝、サラダを食べます。

① 毎朝・卵・食べます　　　② 毎朝・牛乳・飲みます
③ 毎晩・テレビ・見ます　　④ 毎日・新聞・読みます
⑤ 毎日・日本語のCD・聞きます　⑥ 毎日・コンビニ・行きます
⑦ 毎朝・（　　）・（　　）　⑧ 毎日・（　　）・（　　）

2  例) パン・卵・食べます ⇒ パンや卵などを食べます。

① カレー・サラダ・食べます　　② 果物・チーズ・食べます
③ ジュース・牛乳・飲みます　　④ お弁当・お酒・買います

3  例) 食べます ⇒ 何も食べません。

① 飲みます　② します　③ 買います

4  午前　例) 毎朝　6:00

⇒ 毎朝、6時に起きます。

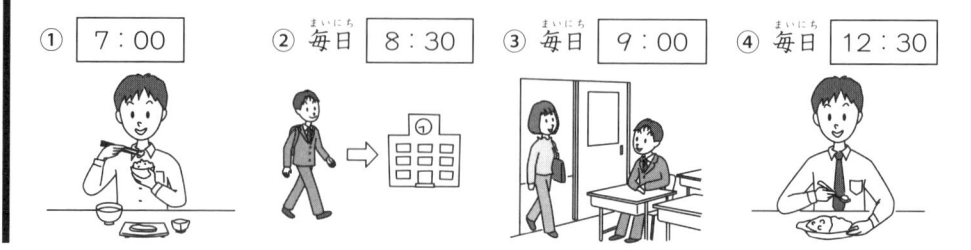

① 7:00　② 毎日 8:30　③ 毎日 9:00　④ 毎日 12:30

午後　⑤ 1:00　⑥ 毎日 7:00　⑦ 11:00　⑧ (　　)

5   例) ⇒ 朝7時半から8時までインターネットをします。
朝 7:30～8:00

① 9:30am～11:00pm

② 午後 1:00～5:00

③ 夜 9:00～10:00

④ 夜 10:00～10:30

# 第4課　私の国・町

## 1 どこ？

1  〈日本〉　　　　　　〈オーストラリア〉　　　　　〈私の国〉

例) 北海道・北
① 長野・真ん中
② 沖縄・南
③ パース・西
④ シドニー・東
⑤ (　　　　　)

例) 北海道は日本の北です。

2 　練習1

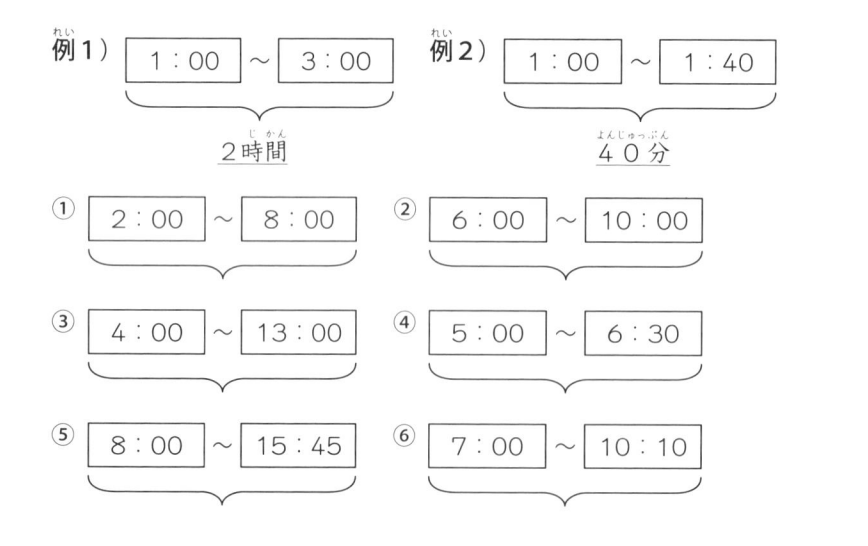

例1) 1:00 ～ 3:00　　2時間
例2) 1:00 ～ 1:40　　40分

① 2:00 ～ 8:00
② 6:00 ～ 10:00
③ 4:00 ～ 13:00
④ 5:00 ～ 6:30
⑤ 8:00 ～ 15:45
⑥ 7:00 ～ 10:10

練習2

例) 私の国　(2時間)→　日本　⇒　私の国から日本まで2時間です。

① うち　(20分)→　学校
② 私の国　(　　)→　日本
③ うち　(　　)→　学校

3  例）

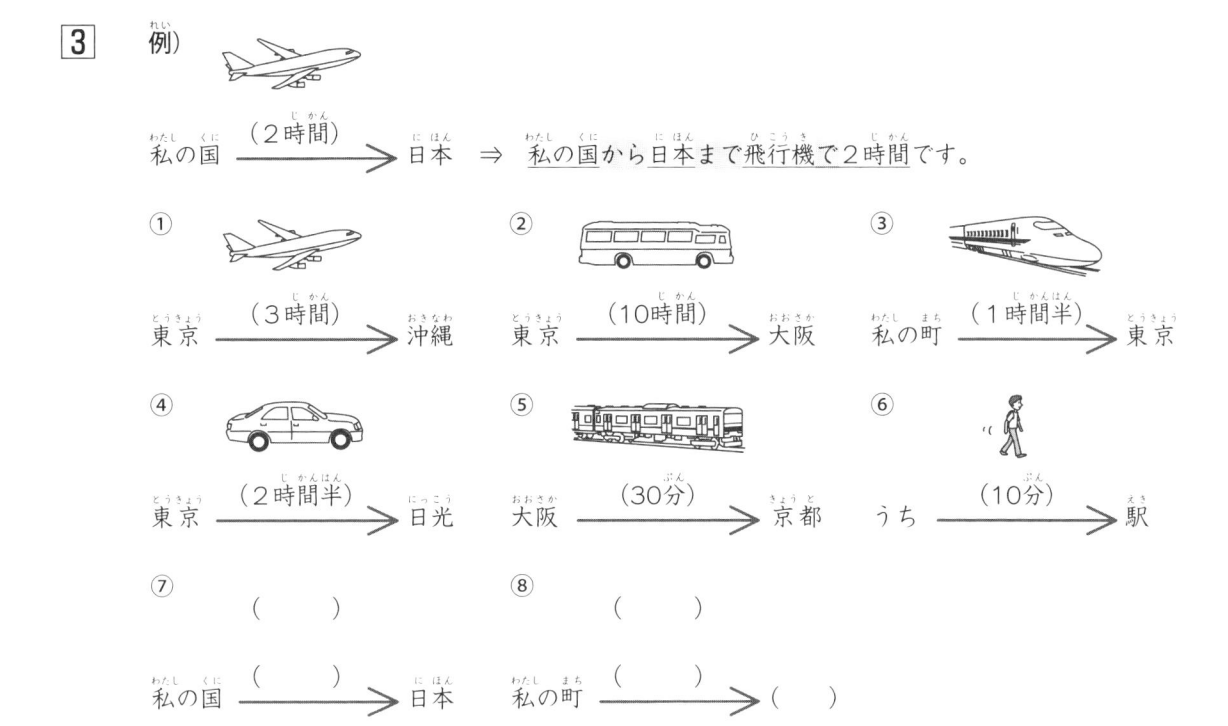

私の国 ——（2時間）→ 日本 ⇒ 私の国から日本まで飛行機で2時間です。

① 東京 ——（3時間）→ 沖縄
② 東京 ——（10時間）→ 大阪
③ 私の町 ——（1時間半）→ 東京
④ 東京 ——（2時間半）→ 日光
⑤ 大阪 ——（30分）→ 京都
⑥ うち ——（10分）→ 駅
⑦ 私の国 ——（　）→ 日本
⑧ 私の町 ——（　）→（　）

## 2 どんなところ？

1  例）山

⇒ この山は高いです。

高い　低い

① お寺　　大きい　小さい
② ビル　　新しい　古い
③ 公園　　人が多い　人が少ない
④ 町　　緑が多い
⑤ 川　　きれい
⑥ 町　　にぎやか　静か

**2** 例1) 大きい ⇒ 大きくないです
　　 例2) にぎやか ⇒ にぎやかじゃありません

① 小さい　② 人が多い　③ 静か　④ 有名

**3** 例1) これ・古い・お寺 ⇒ これは古いお寺です。
　　 例2) ここ・静か・町 ⇒ ここは静かな町です。

① これ・大きい・公園　② これ・小さい・教会
③ これ・新しい・ビル　④ これ・古い・神社
⑤ ここ・緑が多い・町　⑥ これ・低い・山
⑦ これ・有名・お城　　⑧ ヒルズ・高い・ビル
⑨ 渋谷・にぎやか・町　⑩ 四万十川・きれい・川

**5** 例) 箱根・温泉 ⇒ 箱根に温泉があります。

① 姫路・お城　　　　　② 沖縄・きれいな海
③ 奈良・古いお寺　　　④ 私の町・高い山
⑤ 私の町・大きい公園　⑥ (　　　　　　)

**6** 例) 富士山・高い/きれい ⇒ 富士山は高いです。そして、きれいです。

① 私の町・にぎやか/人が多い　② 姫路城・大きい/有名
③ ＫＳビル・新しい/高い　　　④ この公園・静か/緑が多い
⑤ (　　　　　　)

**7** 例) 私の町・大きくない・にぎやか ⇒ 私の町は大きくないですが、にぎやかです。

① 私の国・小さい・人が多い　　② この海・有名じゃありません・きれい
③ 北海道・大きい・人が少ない　④ このビル・新しい・きれいじゃありません
⑤ (　　　　　　)

# 3 季節・料理

## 2

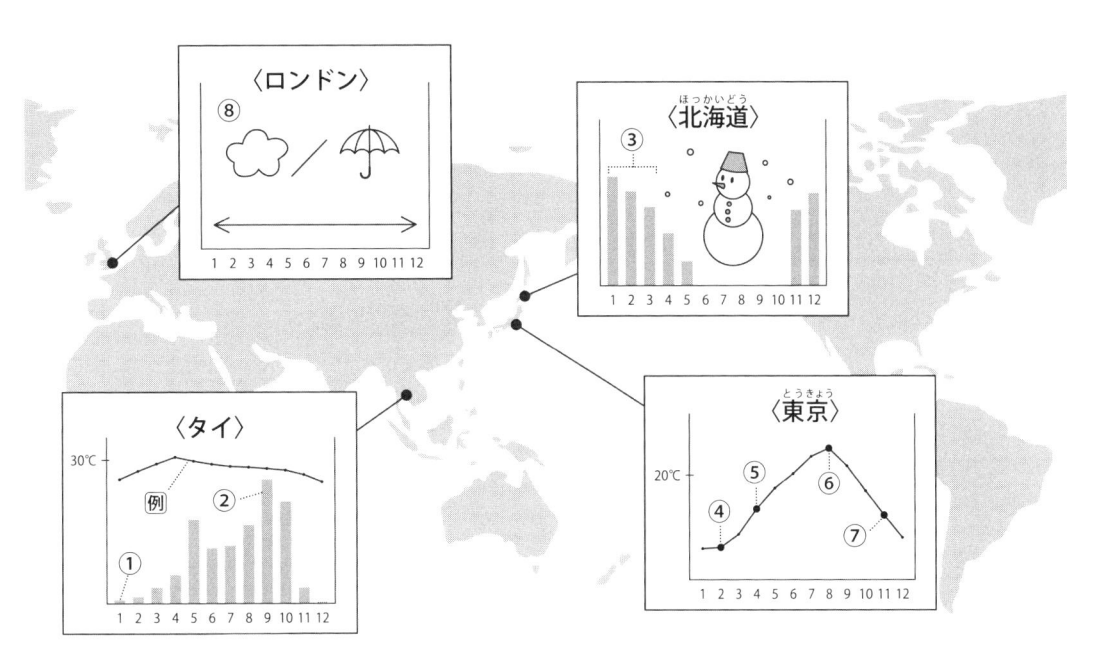

〈ロンドン〉 ⑧

〈北海道〉 ③

〈タイ〉 30℃ 例 ②①

〈東京〉 20℃ ④ ⑤ ⑥ ⑦

例) 暑い ⇒ <u>タイは一年中、暑い</u>です。

① 雨が少ない　② 雨が多い　③ 雪が多い　④ 寒い
⑤ 暖かい　　　⑥ 暑い　　　⑦ 涼しい　　⑧ 天気がよくない

## 3　練習1

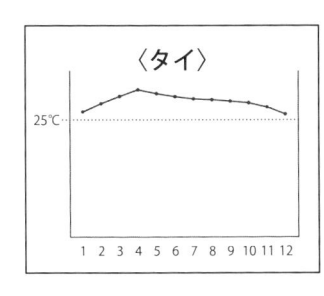

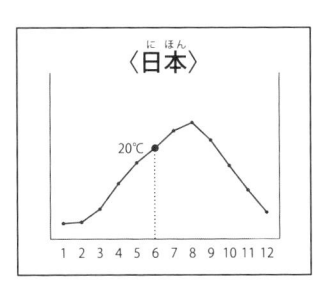

〈タイ〉 25℃

〈日本〉 20℃

例1) タイ・一年中・とても・暑い　⇒　<u>タイは一年中、とても暑い</u>です。
例2) 日本・6月・少し・暑い　　　⇒　<u>日本は6月、少し暑い</u>です。

① ロシア・冬・とても・寒い　　　　② 北海道・2月・とても・雪が多い
③ オーストラリア・2月・とても・暑い　④ 日本・3月・少し・天気が悪い
⑤ 私の町・（　　　　　　　）

練習2

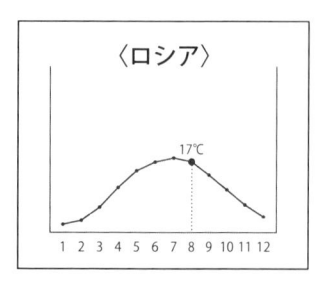

〈ロシア〉 17℃ 1 2 3 4 5 6 7 8 9 10 11 12

例) ロシア・夏・暑い ⇒ <u>ロシアは夏、あまり暑くないです。</u>

① 北海道・夏・雨が多い　② 沖縄・冬・寒い
③ 東京・6月・天気がいい　④ ドイツ・8月・暑い
⑤ 私の町・(　　　　　　　)

5 例) このハンバーグ・おいしい ⇒ <u>このハンバーグはおいしいです。</u>

① このケーキ・甘い　　② このコーヒー・苦い
③ インドのカレー・辛い　④ この果物・すっぱい
⑤ 日本のパン・おいしい　⑥ このお茶・熱い
⑦ このスープ・冷たい　　⑧ このスープ・温かい

# 第5課　休みの日

## 1　週末

### 1　練習1

例1）勉強します　⇒　昨日、勉強しました。
例2）勉強しません　⇒　昨日、勉強しませんでした。

① デパートへ行きます　② 8時に起きます
③ 12時に寝ます　④ ご飯を食べません
⑤ 料理を作りません　⑥ 掃除しません
⑦ 11時から12時までゲームをします
⑧ 10時半から11時半までテレビを見ます

### 練習2

例）勉強します　⇒

A：日曜日、勉強しましたか。

B：はい、しました。

B：いいえ、しませんでした。

① 買い物をします　② 料理を作ります　③ 洗濯します
④ テレビを見ます　⑤ 友達に会います　⑥ 掃除します

### 3

例）友達・サッカー　⇒　友達とサッカーをしました。

① 家族・旅行　② 恋人・映画　③ ルームメイト・食事　④ 1人で・美術館

4 例）先週の日曜日 ⇒ 先週の日曜日、うちで勉強しました。
それから、友達とDVDを見ました。

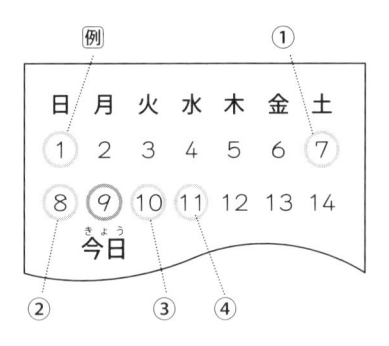

① おととい 　　② 昨日 　　③ 明日の午後 　　④ あさって

## 2 休みの後で

### 1-1 練習1

例）今朝・寒い ⇒ 今朝は寒かったです。

① この本・高い　② 昨日・暑い　③ デパート・人が多い
④ この靴・安い　⑤ おととい・忙しい　⑥ 温泉・気持ちがいい

### 練習2

例1）公園・静か ⇒ 公園は静かでした。
例2）今朝・雨 ⇒ 今朝は雨でした。

① テスト・簡単　② アルバイト・大変　③ おととい・暇
④ 美術館・休み　⑤ 日曜日・テスト　⑥ 今日・仕事

### 練習3

例1）パーティー・楽しい ⇒ パーティーは楽しくなかったです。
例2）パーティー・にぎやか ⇒ パーティーはにぎやかじゃありませんでした。

① テスト・難しい　② 先月の旅行・楽しい　③ 去年の夏・暑い
④ 先週・天気がいい　⑤ 昨日、図書館・休み　⑥ 昨日の仕事・大変

**練習4**

例) 旅行・楽しい ⇒ A：旅行は楽しかったですか。
　　　　　　　　　　B：はい、楽しかったです。
　　　　　　　　　　B：いいえ、楽しくなかったです。

① 映画・おもしろい(はい)　　② 昨日・忙しい(いいえ)
③ パーティー・にぎやか(はい)　　④ 仕事・大変(いいえ)

1-2 例) パーティー／楽しい ⇒ A：パーティーはどうでしたか。
　　　　　　　　　　　　　　　B：楽しかったです。

① 料理／(　　　)　　② バーベキュー／(　　　)
③ テスト／(　　　)　　④ 天気／(　　　)

1-3 例) 映画・見ます／おもしろい ⇒ 映画を見ました。おもしろかったです。

① スキー・します／難しい　　② 温泉・入ります／気持ちがいい
③ 服・買います／安い　　④ 山・登ります／大変・楽しい
⑤ 日光・行きます／天気がよくない・楽しい
⑥ 友達・お酒・飲みます／(　　　)

2 例) 忙しかったです・朝ご飯を食べませんでした
　　　⇒ 忙しかったですから、朝ご飯を食べませんでした。

① 昨日、天気がよかったです・公園へ行きます
② ハッピースーパーは安いです・毎日行きます
③ 昨日は夜10時まで仕事でした・晩ご飯を作りませんでした
④ 今日、寒いです・どこへも行きません

# 3 今度の休みに

1 例) パソコン ⇒ 私はパソコンがほしいです。

① 自転車　② 靴　③ 新しい服　④ 恋人　⑤ 休み　⑥ 何も

2 練習1

例) 旅行・好き ⇒ 私は旅行が好きです。

① 音楽・好き    ② インターネット・好き    ③ 肉・嫌い    ④ スポーツ・あまり・好き

練習2

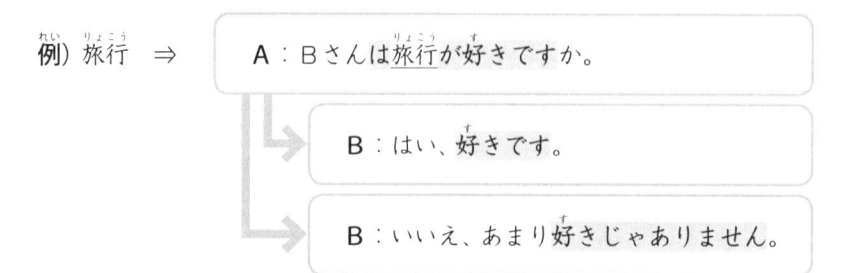

例) 旅行 ⇒

A：Bさんは旅行が好きですか。

B：はい、好きです。

B：いいえ、あまり好きじゃありません。

① ビール    ② 買い物    ③ サッカー    ④ アニメ

3 例) 映画を見ます ⇒ 映画を見たいです。

① 富士山に登ります    ② 北海道へ行きます    ③ 国の友達に会います
④ お酒を飲みます    ⑤ スキーをします    ⑥ きれいな景色の写真を撮ります

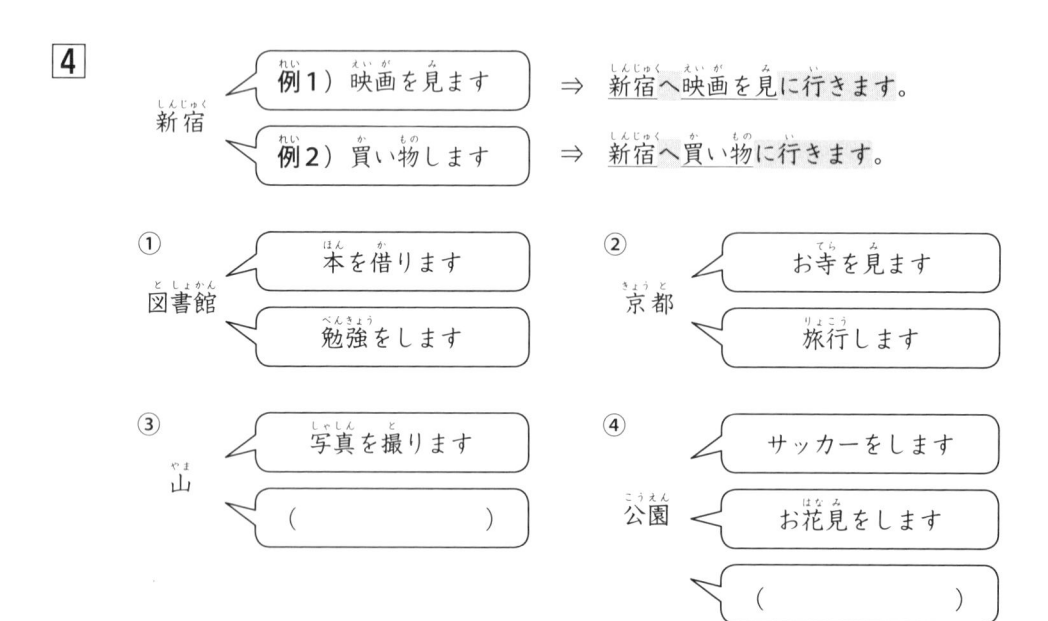

4

新宿 < 例1) 映画を見ます ⇒ 新宿へ映画を見に行きます。
新宿 < 例2) 買い物します ⇒ 新宿へ買い物に行きます。

① 図書館 < 本を借ります
     < 勉強をします

② 京都 < お寺を見ます
    < 旅行します

③ 山 < 写真を撮ります
   < (          )

④ 公園 < サッカーをします
    < お花見をします
    < (          )

# 第6課 一緒に！

## 1 一緒に行きませんか

[1] 例) 今晩・ご飯 ⇒ A：今晩、一緒にご飯を食べませんか。
　　　　　　　　　　B：いいですね。食べましょう。

　① 今週の金曜日・映画　② 来週の土曜日・カラオケ　③（　　　　　）

[2] 例) 今週の月曜日、テストがあります。

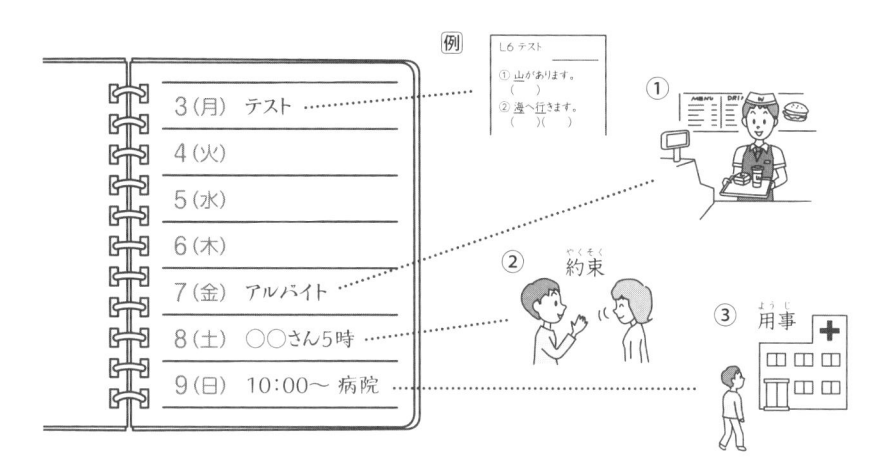

3（月）テスト
4（火）
5（水）
6（木）
7（金）アルバイト
8（土）○○さん5時
9（日）10:00〜 病院

① （レジ）
② 約束
③ 用事

[3] 例) 来週の日曜日

横浜花火まつり
7月24日（日）
7時スタート

⇒ 来週の日曜日、横浜で花火があります。

① 来週の土曜日
浅草祭り
6月5日(土)

② 来月
サマークリアランスセール
SALE
6月28日(木)から
ニコニコショッピングビル

③ 2月
北海道
ゆきまつり
2月3日(土)

④ 今月の10日
in 横浜
日本 vs ブラジル
10月10日(金)

4  例1） チケットが（2枚）あります。  例2） チケットがありません。

① ②  ③  ④  ⑤

## 2 どちらがいいですか

1 練習1

例）食べ物・ラーメン・好き ⇒ 食べ物でラーメンがいちばん好きです。

① 飲み物・ビール・好き
② スポーツ・野球・好き
③ 歌手・スマイル・好き
④ 日本・北海道・きれい
⑤ 季節・夏・好き
⑥ 1年・2月・寒い

練習2

例）音楽・好き

⇒ A：音楽で何がいちばん好きですか。
　　B：ジャズがいちばん好きです。

① 東京・おもしろい 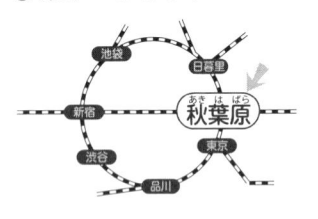
② 1年・暑い 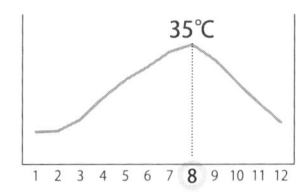
③ このレストランの料理・おいしい 
④ スポーツ・好き／全部

2  例１） ニコニコマート・ハッピースーパー・安い／ハッピースーパー
　　⇒　A：ニコニコマートとハッピースーパーとどちらが安いですか。
　　　　B：ハッピースーパーのほうが安いです。

　例２） あさひラーメン・ふじラーメン・おいしい／どちらも
　　⇒　A：あさひラーメンとふじラーメンとどちらがおいしいですか。
　　　　B：どちらもおいしいです。

① 横浜・鎌倉・近い／横浜
② ７月・８月・雨が多い／７月
③ サッカー・野球・好き／どちらも
④ ＪＴＰのツアー・ＨＬＳのツアー・おもしろい／ＨＬＳのツアー
⑤ 地下鉄・ＪＲ・早い／地下鉄
⑥ この部屋・あの部屋・広い／この部屋

3  例）

⇒　みどり寿司はさくら寿司より安いです。

みどり寿司　さくら寿司
200円〜　　300円〜

① 土曜日　日曜日
② 1h / 2.5h
③ タイ　日本
④ JTPツアー　HLSツアー　おもしろい
⑤ 800m　ニコニコマート／1.5km　ハッピースーパー

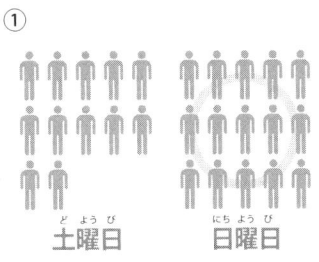

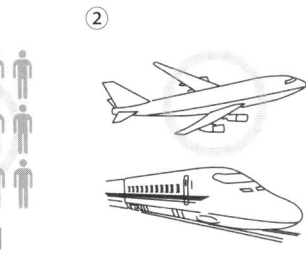

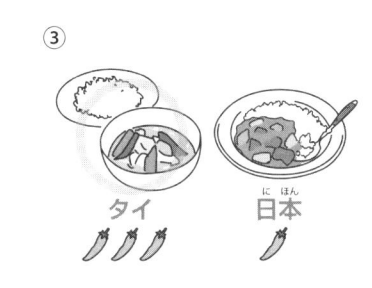

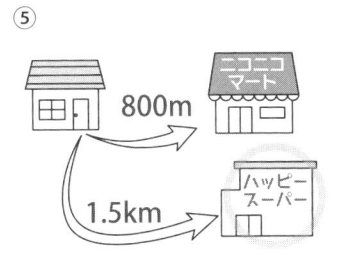

# 第7課　友達の家で

## 1 道がわかりません

1　例）
⇒ 喫茶店はコンビニの上にあります。

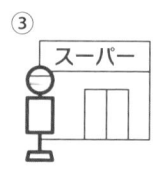

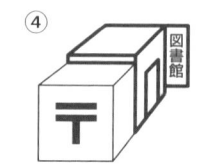

① ② ③ ④ ⑤

2　例）
⇒ 私は病院の前にいます。

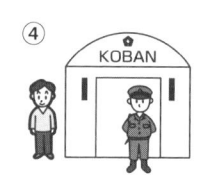

① ② ③ ④

3　例1）銀行の前に本屋があります。
　例2）あそこにパクさんがいます。

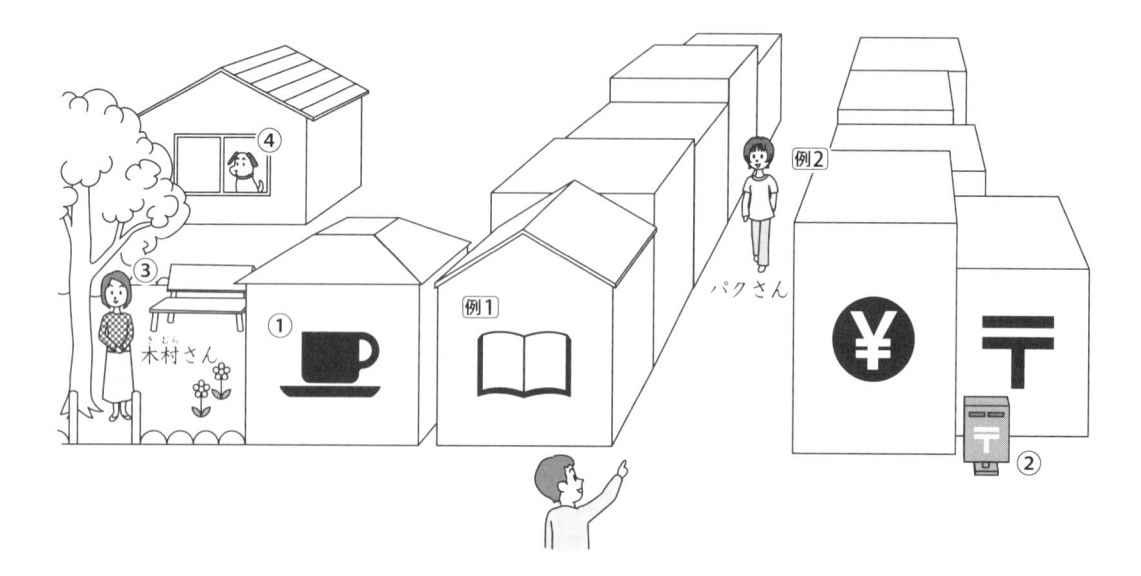

# 2 パーティーの準備

## 1

### 練習1

本冊282ページのテ形の表を見て、練習しましょう。

### 練習2

例) 料理を作ります ⇒ 料理を作ってください。

① お皿を洗います　　　　② 手伝います　　　　　　③ 写真を撮ります
④ 塩を取ります　　　　　⑤ CDを貸します　　　　　⑥ 冷蔵庫からジュースを出します
⑦ テーブルにコップを置きます　⑧ いすを持って行きます　⑨ たくさん食べます
⑩ 冷蔵庫にケーキを入れます　　⑪ 掃除します　　　　　⑫ 10時に来ます

### 練習3

例) ⇒ サラダを作ってください。

① ② ③
④ ⑤ ⑥

## 2

例) ナイフ・りんごを切ります ⇒ ナイフでりんごを切ります。

① はし・ご飯を食べます　　② ナイフ・肉を切ります
③ ペン・名前を書きます　　④ (　　　)・(　　　)

## 3

例) スープ・作ります ⇒ スープの作り方

① 漢字・読みます　　② カレー・作ります　　③ DVD・使います
④ 野菜・切ります　　⑤ 料理・(　　　)

4 例)
A：Bさん、お皿を取ってください。
⇒ B：どのお皿ですか。
A：そのお皿です。

① ② ③ ④

5 例)
⇒ A：塩はどれですか。
B：それです。

① ② ③ ④

# 3 みんなで楽しいパーティー

1 例) CDを聞きます ⇒ CDを聞いています。

① お皿を洗います  ② 歌を歌います  ③ ギターを弾きます
④ 電話をかけます  ⑤ 友達と話します  ⑥ たばこを吸います

2 例) ケーキを切ります ⇒ ケーキを切りましょうか。

① 料理を取ります  ② コップを洗います  ③ かばんを持ちます
④ お皿を持って来ます  ⑤ 窓を開けます  ⑥ 窓を閉めます

4 例1) ビール(はい・少し) ⇒ A：ビールはまだありますか。
B：はい、まだ少しあります。

例2) おすし(いいえ) ⇒ A：おすしはまだありますか。
B：いいえ、もうありません。

① 冷たいお茶(はい)  ② カレー(いいえ)  ③ ケーキ(いいえ)
④ ご飯(はい・たくさん)  ⑤ ジュース(はい・少し)

# 第8課 大切な人

## 1 家族・友達

**1** 例) 私・大阪 ⇒ 私は大阪に住んでいます。

① 私・新宿　　　　　　　　② 友達・北海道
③ ジョンさん・オーストラリア　④ リンさんの家族・アメリカ
⑤ 両親・イタリア　　　　　　⑥ 山口さんのお兄さん・横浜
⑦ 私・(　　　　　)　　　　　⑧ 両親・(　　　　　)

**2** 例) 弟・2人 ⇒ 私は弟と2人で住んでいます。

① 友達・3人　　　　② 家族・5人
③ ルームメイト・4人　④ 妻・2人
⑤ 1人　　　　　　　⑥ (　　　　　)

**3** 例1) 兄 ⇒ 兄がいます。
　　 例2) 姉・2人 ⇒ 姉が2人います。

① 息子　　　② 恋人　　　　　　　③ 夫
④ 娘・2人　⑤ 日本人の友達・3人　⑥ 子ども・1人
⑦ 犬・1匹　⑧ 猫・2匹　　　　　　⑨ (　　　　　)

**4** 例) 姉・高校で英語を教えます ⇒ 姉は高校で英語を教えています。

① 父・会社で働きます　　　② 母・ピアノを教えます
③ 兄・銀行で働きます　　　④ 弟・中国の大学で勉強します
⑤ 妹・アルバイトをします　⑥ (　　　　　　　　　)

# 2 こんな人

**1**

例) カルロスさん・ギター・上手 ⇒ <u>カルロスさんはギターが上手です。</u>

① 母・料理・上手　　② パクさん・日本語・上手
③ 私・テニス・下手　　④ 私・歌・あまり・上手
⑤ (　　　　　　　　)

**2**

例) 父・背・高い ⇒ <u>父は背が高い</u>です。

① パクさん・目・大きい　　② ワンさん・顔・小さい
③ 木村さんのご主人・足・長い　　④ マリヤムさん・髪・黒い
⑤ アンナさん・鼻・高い　　⑥ この犬・口・大きい
⑦ この猫・体・大きい　　⑧ (　　　　　　　　)

**3**

練習1

例) 弟・目が大きい・髪が短い ⇒ <u>弟は目が大きくて、髪が短いです。</u>

① 山口さんのお母さん・髪が長い・きれい
② マリヤムさん・優しい・かわいい
③ カルロスさん・頭がいい・まじめ
④ 母・おもしろい・優しい
⑤ モモ・耳が長い・白いうさぎ
⑥ マック・茶色い・足が短い犬
⑦ (　　　　　　　　)

練習2

例1) ナタポンさん・まじめ・親切 ⇒ <u>ナタポンさんはまじめで、親切です。</u>
例2) ワンさん・20歳・学生 ⇒ <u>ワンさんは20歳で、学生です。</u>

① マルコさん・サッカーが上手・かっこいい
② パクさん・親切・おもしろい
③ ダニエルさんの奥さん・元気・料理が上手
④ 西川さん・学生・中国語を勉強しています
⑤ (　　　　　　　　)

# 3 プレゼント

1. 練習1
   例) 私 はワンさんに本をあげます。
   　　(パクさん)

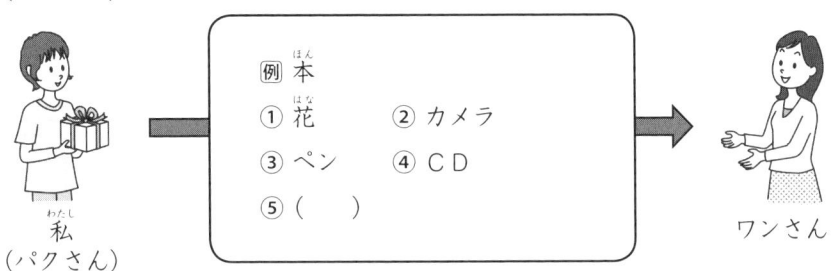

   例) 本
   ① 花　　② カメラ
   ③ ペン　④ ＣＤ
   ⑤ (　　)

   私
   (パクさん)　　　　　　　　　　　　　　　　　ワンさん

   練習2
   例) 両親・電話・します ⇒ 私は両親に電話をします。

   ① 友達・手紙・書きます
   ② 恋人・メール・送ります
   ③ 父・誕生日カード・送ります

2. 例) 私 はアンナさんに時計をもらいました。
   　　(ダニエルさん)

   例) 時計
   ① 自転車　② チョコレート
   ③ ノート　④ ＣＤ　⑤ 電話
   ⑥ メール　⑦ (　　)

   私
   (ダニエルさん)　　　　　　　　　　　　　　　アンナさん

3. 例) 祖母が私に手紙をくれました。

   例) 手紙
   ① お金　　② 辞書
   ③ 靴下　　④ ネックレス
   ⑤ 傘　　　⑥ (　　)

   私　　　　　　　　　　　　　　　　　　　　　祖母

# 第9課　好きなこと

## 1 いろいろな趣味

### 1 練習1
本冊282ページの辞書形の表を見て、練習しましょう。

### 練習2
例1）本を読みます　⇒　趣味は本を読むことです。
例2）ゲームをします・写真を撮ります　⇒　趣味はゲームをすることと写真を撮ることです。

① 山に登ります　　　　　　② 切手を集めます
③ 車を運転します　　　　　④ お菓子を作ります
⑤ 泳ぎます・釣りをします　⑥ 絵を描きます・漫画を読みます

### 2 練習1

例1）（　　）・映画館へ行きます　⇒　私はよく映画館へ行きます。
例2）（　　）・料理を作ります　　⇒　私はあまり料理を作りません。

| いつも　　よく |
| ときどき |
| あまり　　全然 |

① （　　）・友達とお酒を飲みます　② （　　）・料理を作ります
③ （　　）・ドラマを見ます　　　　④ （　　）・アクション映画を見ます
⑤ （　　）・スポーツをします　　　⑥ （　　）・カラオケに行きます

### 練習2

例1）A：Bさんはよく映画館へ行きますか。　例2）A：Bさんはよく料理を作りますか。
　　　B：はい、よく行きます。　　　　　　　　　B：いいえ、あまり作りません。

① A：日本のドラマを見ます　　　　　B：はい・よく
② A：テニスをします　　　　　　　　B：いいえ・あまり
③ A：美術館へ絵を見に行きます　　　B：はい・ときどき
④ A：日本の小説を読みます　　　　　B：（　　　　）
⑤ A：カラオケに行きます　　　　　　B：（　　　　）

3 例)私の趣味はテニスです／最近、あまりしません
　　⇒　私の趣味はテニスです。でも、最近、あまりしません。

① 私は映画が好きです／あまり映画館へ行きません
② 私はよく日本のドラマを見ます／あまり日本語がわかりません
③ 私はスキーが好きです／上手じゃありません
④ 私はあまり歌が上手じゃありません／よく友達とカラオケに行きます

4 練習1

例)　⇒　1週間に2回、プールで泳ぎます。

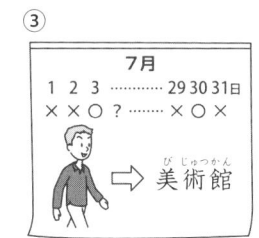

① ② ③ ④

練習2

例) A：1週間・テニスをします　⇒　A：Bさんは1週間に何回くらいテニスをしますか。
　　B：2回くらい　　　　　　　　　B：そうですねえ。1週間に2回くらいテニスをします。

① A：1日・恋人にメールを送ります　② A：1週間・家族に電話をします
　　B：5回くらい　　　　　　　　　　　　B：1回だけ

③ A：1か月・映画を見ます　　　　　④ A：1年・旅行します
　　B：2、3回　　　　　　　　　　　　　B：1回くらい

練習3

例) A：1か月・本を読みます　⇒　A：Bさんは1か月に何冊くらい本を読みますか。
　　B：3　　　　　　　　　　　　B：そうですねえ。1か月に3冊くらい読みます。

① A：1日・インターネットをします　　② A：1か月・CDを買います
　 B：2　　　　　　　　　　　　　　　　B：5
③ A：1日・たばこを吸います　　　　　④ A：1日・コーヒーを飲みます
　 B：10　　　　　　　　　　　　　　　 B：6

| ～冊 | ～枚 |
| ～杯 | ～本 |
| ～時間 | |

## 2 できること・できないこと

### 1 練習1

例) 料理　⇒　私は料理ができます。

① スキー　② テニス　③ 英語　④ 車の運転

### 練習2

例1) パクさん・ケーキを作ります　⇒　パクさんはケーキを作ることができます。
例2) 私・自転車に乗りません　　　⇒　私は自転車に乗ることができません。

① アンナさん・泳ぎます　　　　　　　② 木村さん・書道を教えます
③ ダニエルさん・フランス語を話します　④ マルコさん・上手に歌を歌います
⑤ 私・日本料理を作りません　　　　　⑥ 私・ギターを弾きません
⑦ 私・上手に絵を描きません　　　　　⑧ 私・日本語で電話をかけません

### 練習3

例) 日本の歌を歌います　⇒　A：日本の歌を歌うことができますか。
　　　　　　　　　　　　　　B：はい、できます。
　　　　　　　　　　　　　　B：いいえ、できません。

① ピアノを弾きます　② 英語を話します　③ お酒を飲みます　④ 辛い料理を食べます

# 3 楽しい週末

## 1

例) 週末、映画を見ました・食事をしました・買い物をしました
　　⇒ 週末、映画を見て、食事をして、買い物をしました。

① 夜、テレビを見ます・宿題をします
② 昨日、漫画を読みました・インターネットをしました
③ 週末、掃除しました・洗濯しました・勉強しました
④ 朝、起きます・朝ご飯を食べます・図書館へ行きます
⑤ 友達に会いました・コンサートに行きました・食事しました
⑥ 晩ご飯を食べます・(　　　)・(　　　)
⑦ 毎日、(　　　)・(　　　)・(　　　)
⑧ 週末、(　　　)・(　　　)・(　　　)

## 2

例1) A：さくら図書館へ行きます　　　　A：どうやってさくら図書館へ行きますか。
　　　B：4番のバス　　　　　　　　⇒　B：4番のバスで行きます。

例2) A：図書館のカードを作ります　　　A：どうやって図書館のカードを作りますか。
　　　B：受付で名前と住所を書きます・⇒ B：受付で名前と住所を書いて、
　　　　外国人登録証を見せます　　　　　外国人登録証を見せます。

① A：飛行機のチケットを予約します
　　B：インターネット

② A：書道教室に申し込みます
　　B：電話

③ A：イベントに申し込みます
　　B：市役所に電話します・住所と名前を言います

④ A：ほしの美術館へ行きます
　　B：駅から3番のバスに乗ります・ほしの美術館前で降ります

⑤ A：(　　　　　　　　　　　　　　　　　　)
　　B：(　　　　　　　　　　　　　　　　　　)

# 第10課 バスツアー

## 1 集合

1 例) チケットを買います ⇒ <u>まだチケットを買っていません。</u>

　① 昼ご飯を食べます　② ワンさんは来ます
　③ 薬を飲みます　　　④ 飛行機のチケットを予約します

2 例) トイレへ行きます ⇒ <u>トイレへ行ってきます。</u>

　① バスの時間を見ます　② 地図をもらいます
　③ ワンさんを探します　④ コンビニでお弁当を買います

3 例1) 山 ⇒ <u>山が見えます。</u>
　例2) 音楽 ⇒ <u>音楽が聞こえます。</u>

　① 海　② きれいな景色　③ パクさんの声　④ 水の音

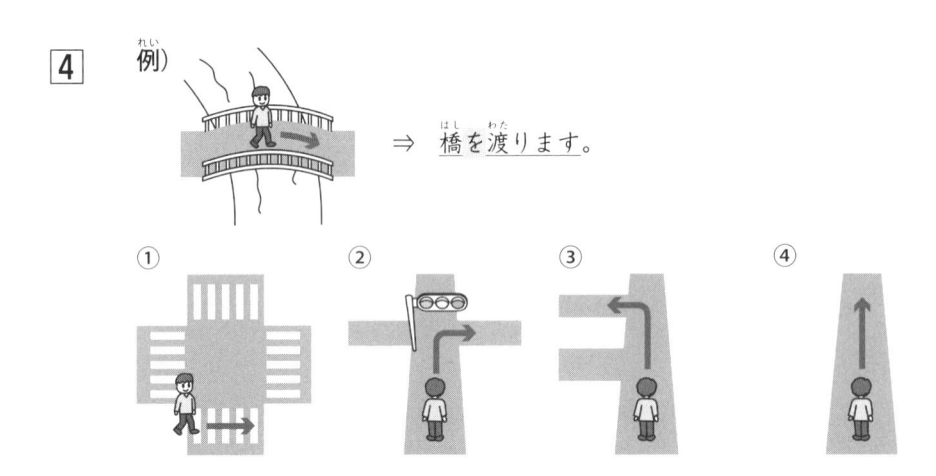

4 例)　　⇒ <u>橋を渡ります。</u>

　① ② ③ ④

## 2 いろいろな注意

1 練習1

　例) ここで写真を撮ります ⇒ <u>ここで写真を撮ってもいいですか。</u>

　① ここでお弁当を食べます　② たばこを吸います
　③ トイレへ行きます　　　　④ ここに荷物を置きます
　⑤ パンフレットをもらいます　⑥ お土産を買ってきます

**練習2**

例) ⇒ 隣に座ってもいいですか。

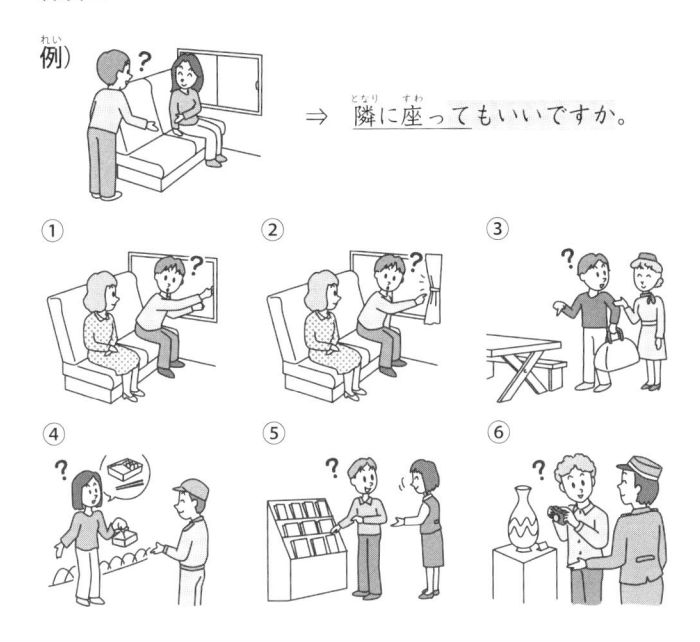

① ② ③
④ ⑤ ⑥

2-1 **練習1**

本冊283ページのナイ形の表を見て、練習しましょう。

**練習2**

例) ここでたばこを吸います ⇒ ここでたばこを吸わないでください。

① ここでお弁当を食べます ② 時間に遅れます
③ ここで携帯電話を使います ④ 大きい声で話します
⑤ 美術館の中で写真を撮ります ⑥ バスの中で立ちます

2-2 例) ⇒ 押さないでください。

① ② ③ ④ ⑤

3  例) あそこに荷物を置いてください[荷物]　⇒　荷物はあそこに置いてください。

① このチケットをなくさないでください[このチケット]
② バスの外で電話をしてください[電話]
③ ここで昼ご飯を食べてください[昼ご飯]
④ まだお弁当を買っていません[お弁当]

## 3 動物園で

1  例)　⇒　サルがバナナを食べています。

①　②　③ 木村さんたち

2  例1) ここできれいな写真を撮ります　⇒　ここできれいな写真を撮ることができます。
　　例2) あそこで買い物をします　⇒　あそこで買い物ができます。

① カードで払います　　　　　　　② ここで休みます
③ あそこで自転車を借ります　　　④ 出口の近くでお土産を買います
⑤ ここでサルにえさをやります　　⑥ 入り口でパンフレットをもらいます
⑦ ここで食事をします　　　　　　⑧ あの公園でサッカーをします
⑨ 電話でチケットの予約をします

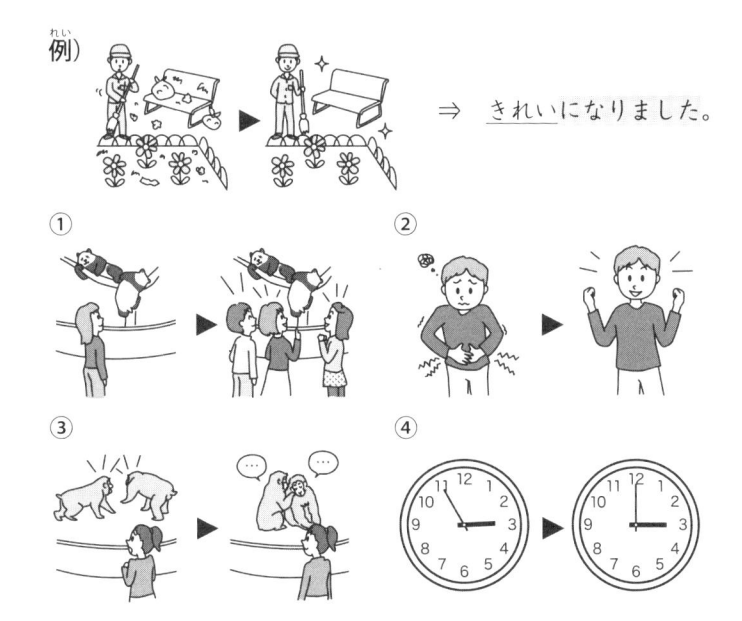

## 3 練習1

例） ⇒ 寒くなりました。

① ② ③ ④

## 練習2

例） ⇒ きれいになりました。

① ② ③ ④

# 第11課 私の生活

## 1 今の生活

[1] 例) 犬が好きです・猫があまり好きじゃありません
　　⇒ 犬は好きですが、猫はあまり好きじゃありません。

① ひらがながわかります・漢字があまりわかりません
② 昼ご飯を食べます・朝ご飯を食べません
③ クラスメイトと日本語で話します・ルームメイトと日本語で話しません
④ 新宿へよく行きます・渋谷へあまり行きません
⑤ 家族に電話をします・友達にあまり電話をしません
⑥ 国でサッカーをしました・日本でしません
⑦ 週末、アルバイトをします・平日、アルバイトをしません
⑧ 初め、日本の生活は大変でした・今、楽しくなりました

[2] 例) 毎朝・ジョギングをします ⇒ 毎朝、ジョギングをしています。

① 毎晩・日記を書きます　　　　　　　② 毎朝・散歩します
③ 毎週火曜日・交流会に参加します　　④ １週間に３回・アルバイトをします
⑤ １か月に２回・料理教室に通います　⑥ たいてい・図書館で勉強します
⑦ 毎日・（　　）　　　　　　　　　　⑧ １週間に（　）回・（　　）

[3] 練習１

本冊283ページのタ形の表を見て、練習しましょう。

練習2

例) 日曜日 … ⇒ 日曜日、音楽を聞いたり小説を読んだりします。

① 土曜日 …
② 週末 …
③ 休みの日 …
④ 夜 …

練習3

例) 昨日の夜・ゲームをしました・本を読みました
　⇒ 昨日の夜、ゲームをしたり本を読んだりしました。

① 休みの日・洗濯しています・掃除しています
② 今度の休みに・買い物したいです・映画を見たいです
③ 今度の休みに・(　　　)・(　　　)

4　練習1

例) ⇒ 寂しいとき、家族に電話します。

① ② ③ (　　　)

練習2

例) ⇒ 料理を作るとき、料理の雑誌を見ます。

① ② ③

練習3

例) ⇒ 家へ帰ったとき、手を洗います。

① ② ③

④ ⑤ ( ) ⑥ ( )

## 2 今の私・前の私

1 例）中学生です・ギターを始めました ⇒ 中学生のとき、ギターを始めました。

① 子どもです・スポーツがあまり好きじゃありませんでした
② 20歳です・初めて外国へ行きました
③ 高校を卒業します・父に時計をもらいました
④ 大学に入学します・携帯電話を買いました
⑤ 日本へ来ます・恋人と別れました
⑥ 日本へ来ました・道が全然わかりませんでした
⑦ 日本語の勉強を始めました・大変でした
⑧ 富士山に登りました・きれいな景色を見ました

## 3 友達と

1-1 例）毎日、インターネットをします ⇒ 毎日、インターネットをする。

① 毎朝、ジョギングをします　② 約束があります
③ いつも朝ご飯を食べません　④ 時間がありません

1-2 練習1

例）毎日、忙しいです ⇒ 毎日、忙しい。

① この店のケーキはおいしいです　② あさひラーメンは安いです
③ この映画はおもしろくないです　④ 私の部屋は広くないです

練習2

例）サッカーが好きです ⇒ サッカーが好き(だ)。

① アクション映画が好きです　② 一人暮らしは大変です
③ マルコさんは歌が上手です　④ 野菜が好きじゃありません
⑤ 趣味は水泳です　⑥ 西川さんは会社員じゃありません

1-3　練習1

例) おととい、友達とお酒を飲みました　⇒　おととい、友達とお酒を飲んだ。

① 昨日、かばんを買いました　　② 週末、横浜へ遊びに行きました
③ 昨日の夜、勉強しませんでした　④ 日曜日、どこへも行きませんでした

練習2

例) 昨日は寒かったです　⇒　昨日は寒かった。

① パーティーは楽しかったです　　② 昨日は天気がよくなかったです
③ おとといのテストは簡単でした　④ 昨日は休みじゃありませんでした

1-4　例) 一緒に映画を見ませんか　⇒　一緒に映画を見ない？

① 一緒にサッカーをしませんか　② 今晩、お酒を飲みませんか
③ 写真を撮ってもいいですか　　④ うちへ帰ってもいいですか
⑤ 窓を開けてください　　　　　⑥ お金を貸してください
⑦ 北海道へ行きたいです　　　　⑧ 富士山に登りたいです
⑨ 私は横浜に住んでいます　　　⑩ まだ昼ご飯を食べていません
⑪ ナタポンさんは上手に絵を描くことができます
⑫ 私は泳ぐことができません

1-5　例) 高かったです・何も買いませんでした　⇒　高かったから、何も買わなかった。

① 日本料理が好きです・よく食べに行きます
② ふじまるランドは楽しかったです・また行きたいです
③ 明日、テストです・今晩、勉強します
④ 雨でした・どこへも行きませんでした

1-6　例) このレストランは高いです・おいしいです　⇒　このレストランは高いけど、おいしい。

① 日本語の勉強は難しいです・おもしろいです
② 日本の生活は大変です・楽しいです
③ 旅行はおもしろかったです・疲れました
④ 昨日は雨でした・サッカーの試合がありました

# 第12課 病気・けが

## 1 体の調子

[1] 例) おなかが痛いです ⇒ おなかが痛いんです。

① 気持ちが悪いです　② 熱が39度あります
③ 食欲がありません　④ 風邪です
⑤ けがをしました　⑥ 体の調子が悪かったです
⑦ 昨日の夜、寝ることができませんでした
⑧ 病気でした

## 2 アドバイス

[1]-1 練習1

例) 早く病院へ行きます ⇒ 早く病院へ行ったほうがいいです。

① 薬を飲みます　② 早くうちへ帰ります
③ よく寝ます　④ ゆっくり休みます
⑤ 歯医者へ行きます　⑥ アルバイトを休みます
⑦ 薬を塗ります　⑧ 柔らかいものを食べます

練習2

例) たばこを吸いません ⇒ たばこを吸わないほうがいいです。

① あまりお酒を飲みません　② 近くでテレビを見ません
③ 出かけません　④ シャワーを浴びません
⑤ 固いものを食べません　⑥ できるだけ声を出しません

[1]-2 例) 牛乳は体にいいです・毎朝、飲みます
　　⇒ 牛乳は体にいいですから、毎朝、飲んだほうがいいです。

① 睡眠は大切です・よく寝ます
② 歯が悪くなります・甘いものを食べません
③ 目が悪くなります・(　　　)
④ 体にいいです・(　　　)
⑤ 体によくないです・(　　　)

# 3 病院で

## 1 練習1

例) 手を洗ってから、ご飯を食べます。

① ② ③ ④

### 練習2

例) 歯を磨きます・寝ます ⇒ 歯を磨いてから、寝ます。

① ご飯を食べます・薬を飲みます
② 靴を脱ぎます・中に入ってください
③ 受付で保険証を出します・待合室で待っていてください
④ 予約しました・病院へ行きました
⑤ ご飯を食べました・おなかが痛くなりました

2 練習1

例)　⇒　寝る前に、歯を磨きます。

① ② ③
④ ⑤

練習2

例) 寝ます・歯を磨きます　⇒　寝る前に、歯を磨きます。

① ご飯を食べます・手を洗います
② 薬を飲みます・説明書を読んでください
③ 帰ります・薬局で薬をもらってください
④ 泳ぎます・準備運動をしたほうがいいです
⑤ お酒を飲みます・何か食べたほうがいいです
⑥ 毎日、会社へ行きます・ジョギングをしています
⑦ 昨日、寝ます・薬を飲みました

練習3

例1) 食事・手を洗います　⇒　食事の前に、手を洗います。
例2) 2週間・風邪をひきました　⇒　2週間前に、風邪をひきました。

① 授業・昼ご飯を食べます　② 試合・けがをしました
③ 食事・（　　　）　　　　④ 1時間・お風呂に入りました
⑤ 3日・やけどをしました　⑥ 1週間・（　　　）
⑦ 食事・30分・薬を飲みます

45

# 第13課 私のおすすめ

## 1 経験から

### 1 練習1

例) 富士山に登ります ⇒ 富士山に登ったことがあります。

① ゾウに乗ります
② お好み焼きを食べます
③ 雪を見ます
④ 2回・温泉に入ります
⑤ 何回も・日本のお酒を飲みます
⑥ 1回も・北海道へ行きません

### 練習2

例) 沖縄へ行きます

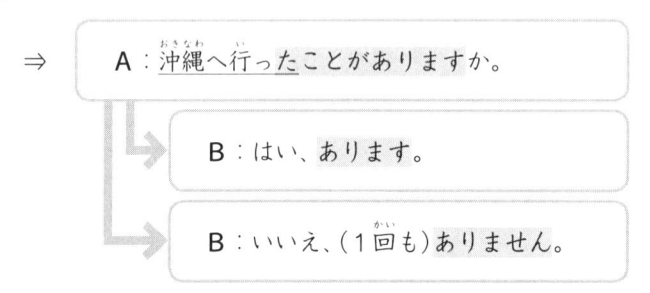

⇒ A：沖縄へ行ったことがありますか。

　　B：はい、あります。

　　B：いいえ、(1回も)ありません。

① おすしを食べます
② 富士山を見ます
③ 日本の歌を聞きます
④ 日本のお酒を飲みます
⑤ 日本の小説を読みます

### 2

例) おいしいレストラン

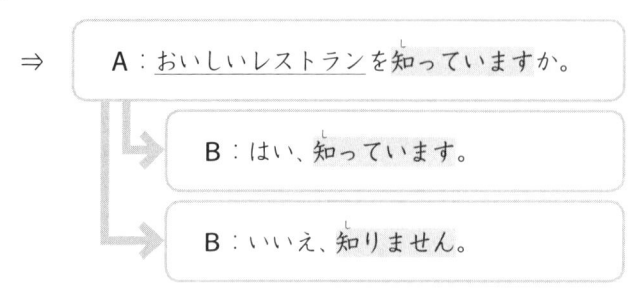

⇒ A：おいしいレストランを知っていますか。

　　B：はい、知っています。

　　B：いいえ、知りません。

① いい温泉
② 安いお店
③ 桜がきれいなところ
④ 駅から近いホテル
⑤ 相撲のチケットの買い方

3  練習1

例) これ・かりんとう・お菓子 ⇒ これはかりんとうというお菓子です。

① これ・ドリアン・果物　　② これ・「あさ」・歌
③ ここ・ひまわり・レストラン　④ ここ・富士見屋・ホテル
⑤ ここ・法隆寺・お寺

練習2

例) 法隆寺・お寺・きれい ⇒ 法隆寺というお寺はきれいです。

① 高山・町・とても古い　　② ちゃんちゃん焼き・料理・おいしい
③ 「キングマン」・映画・おもしろい　④ マリン・ホテル・サービスがいい

## 2 おすすめします

1  練習1

例) ここは 喫茶店 です ＋ 友達とよく行きます ⇒ ここは友達とよく行く喫茶店です。

① これは お菓子 です ＋ 子どものとき、よく食べました
② ここは 公園 です ＋ サッカーをすることができます
③ これは お酒 です ＋ ご飯を食べる前に飲みます
④ これは カメラ です ＋ 水の中で使うことができます
⑤ ここは スーパー です ＋ 新鮮な野菜を買うことができます
⑥ ここは ホテル です ＋ 去年、旅行に行ったとき泊まりました
⑦ サカイ電器は お店 です ＋ 安い電気製品を買うことができます
⑧ 「ラッキー」は ドラマ です ＋ 今、女の人に人気があります
⑨ オレンジは ケーキ屋 です ＋ おいしいケーキを売っています

練習2

例) これは 雑誌 です + 私はよく読みます ⇒ これは私がよく読む雑誌です。

① ここは レストラン です + 私はよく行きます
② ここは 居酒屋 です + 若い人はよく行きます
③ これは お菓子 です + 子どもは食べます
④ 「Tokyo」は 雑誌 です + 男の人はよく読みます

2 練習1

例) シャツを着ています。

練習2

例) 茶色い靴・はきます ⇒ 茶色い靴をはいています。

① 帽子・かぶります　　② サングラス・かけます
③ 赤いスカート・はきます　　④ 青いズボン・はきます
⑤ 黄色いネックレス・します　　⑥ 白い傘・持ちます

## 3 教えてください

**1** 例) クラスメイトと飲み会をします ＋ お店 を探しています
　　　⇒　クラスメイトと飲み会をする店を探しています。

① バスケットボールができます ＋ 公園 を探しています
② パンダがいます ＋ 動物園 へ行きたいです
③ 新鮮な野菜を売っています ＋ お店 を知りません
④ 先輩にあげます ＋ プレゼント を探しています
⑤ パーティーのとき、みんなでします ＋ ゲーム を教えてください
⑥ ギターを弾くことができます ＋ 人 を探しています
⑦ 歌の練習ができます ＋ 場所 を探しています

**2** 例) パーティーのとき、みんなでよく作ります ＋ 料理 は何ですか
　　　⇒　パーティーのとき、みんなでよく作る料理は何ですか。

① 友達とよく遊びに行きます ＋ ところ はどこですか
② 浴衣を売っています ＋ お店 はどこですか
③ サッカーの試合ができます ＋ 公園 はどこにありますか
④ パクさんは作ります ＋ 料理 はおいしいです
⑤ 先週、行きました ＋ 食べ放題 はおいしかったです
⑥ スマイルは歌っています ＋ 歌 は人気があります
⑦ 黄色いシャツを着ています ＋ 人 は誰ですか
⑧ タイ料理の材料を売っています ＋ お店 はどこにありますか

# 第14課 国の習慣

## 1 初めて見た！ 初めて聞いた！

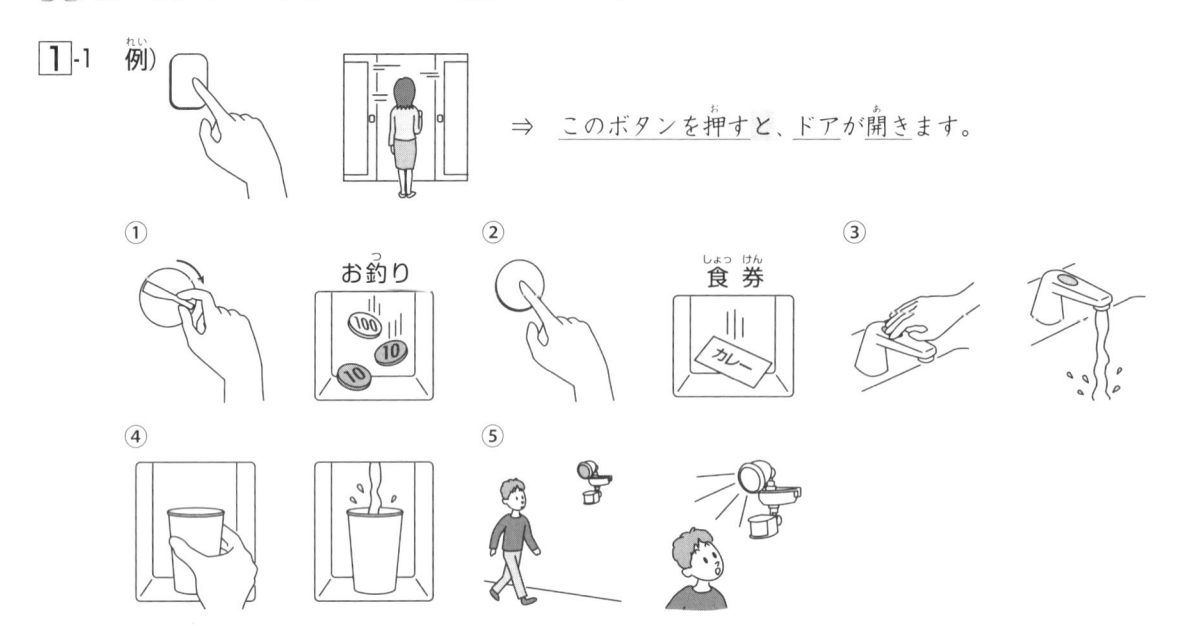

1-1 例) ⇒ <u>このボタンを押すと</u>、<u>ドアが開き</u>ます。

① ② ③ ④ ⑤

1-2 例) このボタンを押します・音が小さいです ⇒ <u>このボタンを押すと</u>、<u>音が小さく</u>なります。

① このボタンを押します・字が大きいです
② こたつに入ります・体が暖かいです
③ 唐辛子をたくさん入れます・辛いです
④ これで掃除します・台所がきれいです

# 2 ルール・マナー

1  例) ⇒ 電車で携帯電話を使ってはいけません。

① ② ③
④ ⑤

2  例) シートベルトをします ⇒ シートベルトをしなければなりません。

① たばこは喫煙所で吸います
② ごみを持って帰ります
③ 入り口で靴を脱ぎます
④ 私の高校では制服を着ます
⑤ 電車を待つとき、きちんと並びます
⑥ 部屋に入るとき、帽子を脱ぎます
⑦ お風呂でお湯に入る前に、体を洗います
⑧ ごみは分けてから捨てます

3  **練習1**

例) 65歳以上の人は入場料を払いません
  ⇒ 65歳以上の人は入場料を払わなくてもいいです。

① 私の家は玄関で靴を脱ぎません
② 3歳以下の子どもはバスの料金を払いません
③ 自転車に乗るとき、ヘルメットをかぶりません
④ 図書館で本を借りるとき、パスポートを見せません

51

練習2

例1）銀行でカードを作ります・パスポートを持って行きます　（はい）
　　⇒　A：銀行でカードを作るとき、パスポートを持って行かなければなりませんか。
　　　　B：はい、持って行かなければなりません。

例2）ほしの美術館に入ります・入場料を払います　（いいえ）
　　⇒　A：ほしの美術館に入るとき、入場料を払わなければなりませんか。
　　　　B：いいえ、払わなくてもいいです。

① バイクに乗ります・ヘルメットをかぶります　（はい）
② お酒を買います・身分証を見せます　（はい）
③ 図書館で本を借ります・パスポートを持って行きます　（いいえ）

# 3　私の意見

[1]　例）日本の電車は静かです　⇒　日本の電車は静かだと思います。

① 日本のアルバイトは時給が高いです
② この番組はあまりおもしろくないです
③ 若い人のファッションはおしゃれです
④ アルバイトはいい経験になります
⑤ 仕事も友達もどちらも大切です
⑥ 日本の地下鉄は便利ですが、少し複雑です
⑦ 一人暮らしは自由がありますから、いいです
⑧ たばこは体によくないですから、吸わないほうがいいです

# 第15課 テレビ・雑誌から

## 1 これ、知ってる？

### 1 練習1

例) 夕方から雨が降ります ⇒ 夕方から雨が降るそうです。

① 来週、台風が来ます
② 横浜で花火大会があります
③ 駅の前に新しいビルができます
④ 「ミラクル」という映画が始まります
⑤ 駅のトイレに100万円がありました
⑥ パクさんは風邪をひきました
⑦ 日本がサッカーの試合でブラジルに負けました
⑧ マルコさんのチームが先週の試合で勝ちました

### 練習2

例) このラーメン屋はおいしいです ⇒ このラーメン屋はおいしいそうです。

① 来週、始まるドラマはおもしろいです
② 明日の天気は曇りです
③ 明日の試合は中止です
④ 今月の10日までほしの美術館は無料です
⑤ 明日のテストは難しくないです
⑥ あのスーパーの野菜は新鮮じゃありません
⑦ 田中さんは昔、高校の先生でした
⑧ 先月の旅行は楽しかったです

### 2

例) ⇒ 風邪でアルバイトを休みました。

① 
② 
③ 
④

## 2 雑誌を見て町へ

### 1 練習1

例) 雨が降ります・試合はありません ⇒ 雨が降ったら、試合はありません。

① 明日、晴れます・サッカーをします
② 風邪が治ります・遊びに行きます
③ 休みが1か月あります・旅行をしたいです
④ お金があります・新しい車を買いたいです
⑤ 午後、雨がやみます・紅葉を見に行きませんか
⑥ アルバイトがありません・買い物に行きませんか
⑦ 道がわかりません・交番で聞きます

### 練習2

例) 安いです・買います ⇒ 安かったら、買います。

① 寒いです・出かけません
② 天気がいいです・行きましょう
③ 風が強いです・花火大会は中止です
④ 人が多いです・中に入ることができません
⑤ 暇です・一緒に映画を見ませんか
⑥ 雨です・ジョギングをしません
⑦ 寒くないです・遊園地へ行きます
⑧ 使い方が簡単じゃありません・買いません

### 2

例) 明日は晴れます ⇒ 明日は晴れると思います。

① 週末は道が混みます
② 明日は雪が降ります
③ カルロスさんはたぶんパーティーに来ません
④ アルバイトを休むことができません
⑤ 山の上は寒いです
⑥ 日曜日は人が多いです
⑦ アンナさんはたぶん風邪です
⑧ 紅葉はきっときれいです

3 練習1

例）雨が降ります・試合はあります　⇒　雨が降っても、試合はあります。

① 急ぎます・約束の時間に間に合いません
② 薬を飲みます・風邪が治りません
③ 遅れます・映画館に入ることができます
④ 並びません・チケットを買うことができます
⑤ 地図を見ません・店の場所がわかります

練習2

例）高いです・パソコンがほしいです　⇒　高くても、パソコンがほしいです。

① 人が多いです・セールに行きたいです
② 天気が悪いです・出かけます
③ 大変です・富士山に登りたいです
④ 風邪です・アルバイトに行かなければなりません
⑤ 安くないです・カメラを買いたいです
⑥ 無料じゃありません・書道教室に参加します

# 3 町を歩いて

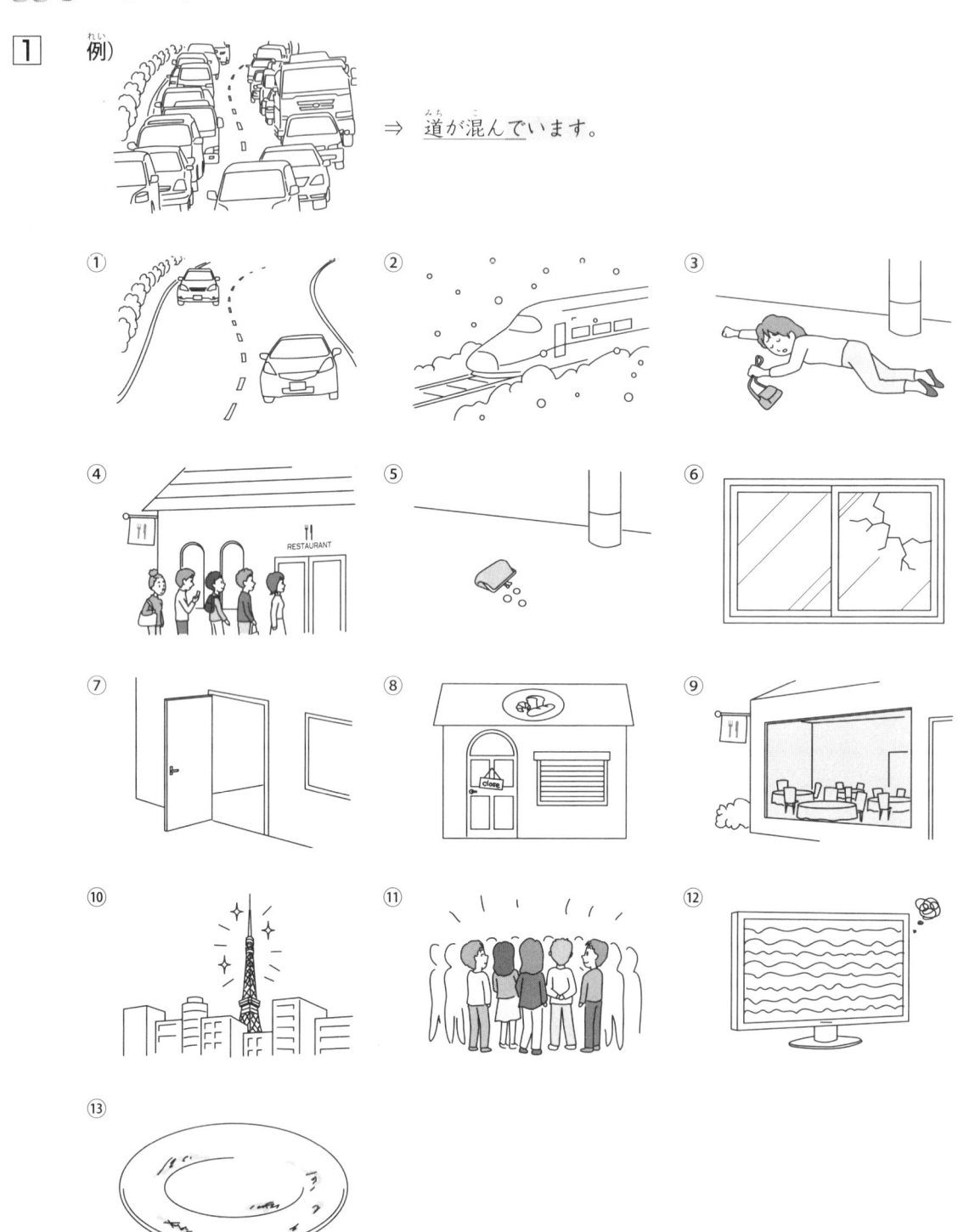

1  例）⇒ 道が混んでいます。

① ② ③
④ ⑤ ⑥
⑦ ⑧ ⑨
⑩ ⑪ ⑫
⑬